해외로 도망친
철없는 신혼 부부

해외로 도망친
철없는 신혼부부

무작정 떠난 해외살이
진짜 우리 인생이 시작됐다

ALONE
BOOK

Part 2.
무작정 떠난 아일랜드 더블린

Part 3.
이민까지 생각했던 그곳, 호주 멜버른

Part 4.
매일이 힐링, 말레이시아 페낭

Part 5.
불행하고 싶지 않아 떠나기로 했다

해외에서 '그냥' 살아보고 싶었어요

어릴 때부터 막연히, 그저 막연히 해외에서 떠돌아다니는 생활을 동경해왔다. 그러려면 일단 좋은 대학에 가야한다는 생각이 있었고, 그래도 암기 머리는 있었는지 공부를 열심히 해서 다행히 원하는 대학에 입학했다. 그런데 하루 종일 공부만 했었던, 오로지 대입만 바라보고 처절하게 달렸던 고등학교 3년 생활의 번 아웃이 온 것인지, '학생'이라는 신분에 봉인되어있던 역마살이 팡 하고 터진 것인지 20살 대학생이 되자마자 나는 미친 듯이 제주로 그리고 해외로 나갔다.

그렇게 무엇에 홀린 듯이 여행만 실컷 하며 학점, 대외활동, 스펙 그 무엇 하나 성실하지 않았던 게으른 대학 생활 중 지금의 남편을 만났다. 퍼즐처럼 꼭 맞는 반쪽을 만나 어쩌다 함께 공시생(공무원 시험 준비생)이 되었고, 어둠의 터널 같은 공시생 시절을 이겨내고 결국 공무원이 되었지만, 나는 임용 6개월 만에, 남편은 2년 8개월 만에 그만뒀다.

"한 살이라도 어릴 때 해외에서 몇 년 살아보고 싶어!"

결혼 전, 우리는 오랜 바람대로 뭐가 되었든 일단 해외에 가서 살자, 라는 대책 없는 계획을 세웠다. 그리고 결혼 후 이상적인 아이디어를 실현 가능한 현실로 만들어 실행에 옮겼고, 2021년 10월부터 아일랜드 더블린과 호주 멜버른을 거쳐 지금은 말레이시아 페낭에서 대자연의 울창한 숲을 보며 살고 있다.

'딱히 꿈은 없고요, 그냥 해외에서 살아보고 싶어요!'

요즘 젊은이들의 높은 퇴사율, MZ세대의 삶의 방식, 퇴사 후 세계여행 등에 대한 이야기가 많이 보인다. 우리 부부도 어쩌면 그와 비슷한 사람 중 하나일 것이다. 딱히 목표는 없었다. 나는 고등학생 때부터 '그냥' 해외라는 곳에서 한번 살아보고 싶었다. 오랫동안 바라왔던 일인데 어쩌다 시대의 트렌드와 타이밍이 맞아 우리 이야기를 궁금해 하는 분들이 많았다. 특히 내가 부지런히 글을 올리는 블로그에는 '저도 그렇게 살고 싶어요.', '너무 재밌게 사네요. 부러워요.' 하는 댓글이 많이 달리기도 한다. 하지만 그분들이 생각하시는 것만큼 우리의 생활은 그저 재밌지만은 않았다.

여행 유튜버들처럼 하루가 다르게 도시를 바꾸며 세계여행하거나 경제적 여유가 있는 디지털 노마드처럼 해변 앞에서 칵테일을 마시며 놀고 쉬지 않는다. 잠깐의 여행이 아닌 몇 년의 생활이기 때문에 그렇게는 할 수가 없었다. 그래서 배경만 한국이 아니다 뿐이지 여행의 기회가 조금 더 있는 것, 새로운 환경에 있다는 것을 제외하고는 한국에서 일하던 삶과 크게 다르지는 않다. 오히려 말이 잘 안 통하는 외국이어서 한국에 살 때보다 어려운 일이 훨씬 많았고, 맨땅에 헤딩하듯 급하게 떠나온 우리였기에 고생은 고생대로 했다.

그래서 이 책에 담긴 글은 낭만적인 세계여행기나 잘 정리된 해외생활백서 같은 느낌이 아닌 '공무원을 그만둔 90년대생 부부의 해외 생존기' 같은 생존형, 생활형 글이 대부분일 것이다. 읽다 보면 '쟤네는 왜 굳이 사서 고생을 하는 거지?' 하는 생각이 자주 드실 수도 있다. 해외 생활에 대한 환상을 와장창 깨트릴 정도까지는 아니지만, 우리와 비슷한 생각을 하거나 타국살이를 계획하고 있는 많은 분들이 타산지석으로 삼을 만한 경험담이 될 수 있을지도 모르겠다.

하지만 고생만큼 물론 얻는 것도 많았다. 아일랜드의 더블린이라는 도시는 가보기 전에는 그저 우중충한 하늘의 차가운 도시처럼 느껴졌는데, 지금 우리 부부에게 더블린이란 생각만 해도 웃음이 나는 몽글몽글한 구름 같은 추억이 가득한 곳이 되었다. 외국인의 신분으로 내 이름이 적힌 영문 근로 계약서도 받고, 영어로 일을 하며 현지 손님들과 스몰토크도 해보며 내 자신에 대한, 내 인생에 대한 자신감도 생겼다. 한

11

국에 살았다면 엄두도 못 냈을 크리스마스의 덴마크도 만끽했고, 3월 할슈타트의 눈 덮인 산과 투명한 강, 그 황홀한 모습은 아직도 눈에 선하다. 호주 멜버른에서는 누구의 도움 없이 우리 스스로 집 계약도 했고, 그 경험을 나누어 호주 워킹홀리데이 오는 분들에게도 감사 인사를 꽤 많이 들었다. 무작정 시작해버린 1년의 해외살이는 이렇게 우리에게 잊지 못할 시간이 되었다.

사랑만으로 결혼하고 젊음만 믿고 무작정 해외로 떠난 우리 부부. 대책 없이 뛰쳐나왔지만 지금까지도 무사히 해외에서 살고 있다. 한국에서 온실 속의 화초로 살았던 우리는 무연고 타지에서 생존력을 얻었고, 남편과 둘이서 평생 얘기할 만한 우리만의 추억도 매일 만들어가고 있다. 비록 해외에서 고생이란 고생은 다 했지만 자랑할 만한 성공은 못 했고, 세 번째 나라인 말레이시아에 와 있는 지금도 여전히 미래는 안 개 낀 듯 거무튀튀하지만, 우리는 더블린으로 떠난 그날을, 해외로 나온 것을 후회하지 않는다.

퇴사 후 1,000만 원만 가지고 나와 해외에서 돈을 벌면서, 또 모으면서 그리고 여행도 하면서 그럭저럭 살아가고 있다. 100세 시대인데 젊은 날의 일탈 몇 년 쯤이야 어떤가. 퇴사를 하면서 시작된 우리의 일탈은 앞으로 얼마나 더 지속될지는 모르겠다. 하지만 아직도 새로운 경험과 새로운 나라에 목마른 우리는 오늘도 함께 손잡고 다음 목적지에 대해 얘기하고 있다.

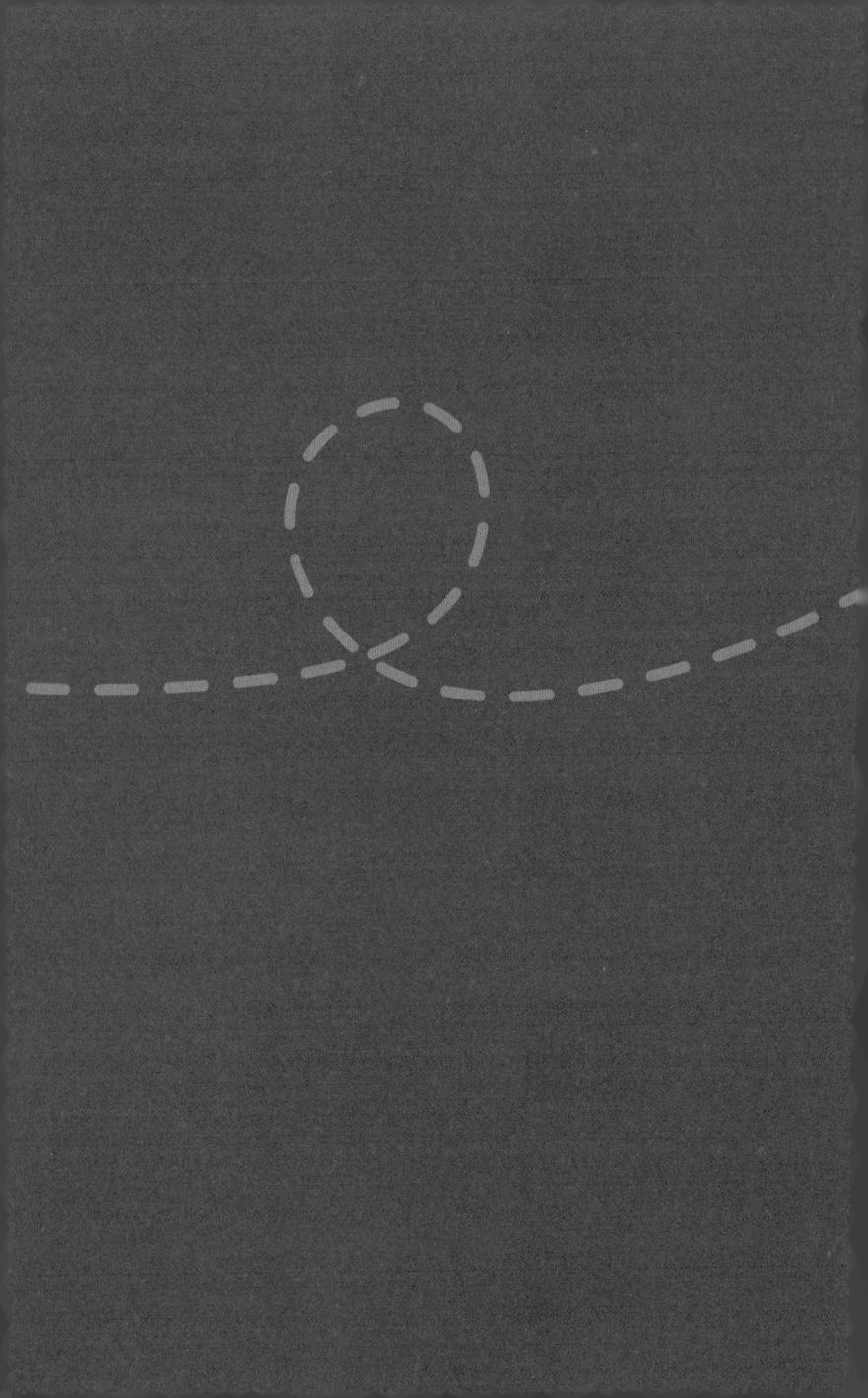

Part 1.

철없는 퇴사,
더 철없는 결혼

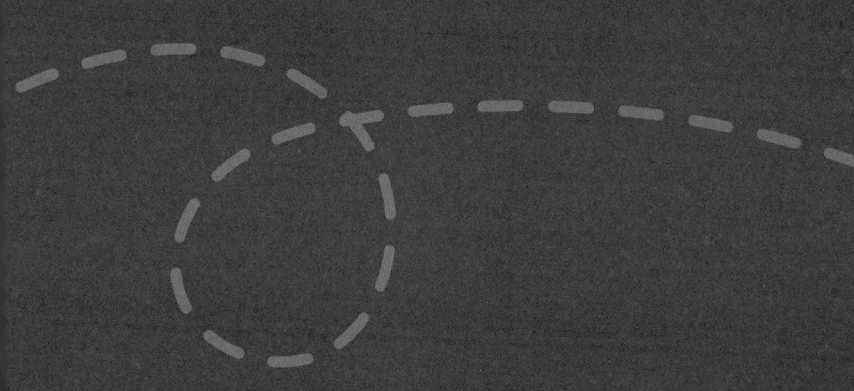

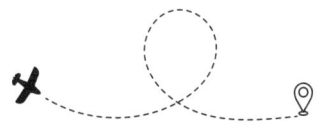

6개월 만에
공무원을 그만둔다고?

대학교 4학년. 나는 어찌하다가 졸업할 학년이 되었지만 내 전공으로 딱히 커리어를 쌓고 싶지는 않았다. 그냥 내 성격상 매일 같은 시간, 같은 장소, 같은 일을 하며 살아가는 나의 모습이, 그러면서 행복해하는 나의 모습이 전혀 그려지지 않았다. 일정한 규율이 있는 회사, 조직 생활은 자신이 없었다. 그러다 사회인이 될 나이가 되었는데, 도저히 회사생활 말고 다른 선택지를 떠올릴 수가 없었다.

그렇게 어쩌다가 공시생이 됐다. 내가 공무원이라는 직업을 선택한 이유는 놀라울 정도로 단순했다. 그저 합격할 수 있을 것 같아서였다. 공무원 시험은 엉덩이 싸움이라고 하듯 암기만 잘하면 되는 시험이라고 하니까, '내가 붙을 수 있을 만한 시험'이라는 것에 초점을 두고 무작정 공시생이 되었다.

그렇게 큰 고민 없이 공시생이 된 사람은 나 말고도 한 명이 더 있었는데, 당시 남자친구였던 지금의 남편이다. 그도 나와 별반 다르지 않은 이유로 공무원 시험을 준비하게 되었다.

'어차피 나는 공무원 하면 안 맞을 것 같은데.' 이런 생각을 늘 하고 있어서였을까, 내 공시생 시절은 유난히 힘들었다. 공부가 얼마나 하기 싫었으면 원인 모를 두드러기가 갑자기 나기도 하고, 복통과 고열 등 갖가지 이유로 평생 안 가본 응급실에 다섯 번도 넘게 갔다.

맞지도 않는 일을 억지로 부여잡고 있던 나는 한계에 다다랐고, 이번이 마지막이다 하는 마음으로 시험장에 들어갔다. 그런데 합격했다. 발표 전날, 발표시간인 6시가 가까워지자 식은땀도 나기 시작했다. 나는 괜히 공책에 '나는 이번에 합격할 수 없는 점수야. 떨어질 거야. 기대하지 말자'라고 적으며 애써 마음을 가라앉혔다. 그런데 합격한 것이다. 휴대폰으로 접속한 사이버 고시센터에 내 수험번호 네 자리가 있었다.

공무원 합격이라는 것은 기대했던 것보다 더 행복했다. 최종 합격을 말씀드릴 때 마주한 부모님의 가슴 벅찬 얼굴, 함께 기뻐해 준 친구들. 게다가 연락도 안 하던 친척들까지 전화로 축하를 전해왔다. 그리고 들어간 6주간의 연수원까지는 좋았다. 넘치게 행복을 만끽했다. 하지만 공무원 합격의 기쁨은 딱 거기까지였다.

성적이 애매했던 탓에 연고도 없는 타지로 첫 발령을 받고 관사로 들어갔다. 그리고 얼마 지나지 않아 첫 출근을 했는데, 바로 그날 나는 직감적으로 깨달았다.

'아, 여기는 내가 있을 곳이 아니구나.'

아마도 나는, 첫 출근 때부터 퇴사 각을 잡고 있었던 것 같다. 동료분들, 사수분들과 인사를 밝게 하고, 지금 생각해보면 마치 두 얼굴의 야누스처럼 '여기 너무 좋아요. 정말 열심히 하겠습니다!' 이런 말을 하고 다녔다. 하지만 그때의 나는 이미 마음을 정했었다. 이럴 것이라는 것을 처음부터 알고 있었으면서 애초에 왜 시간 들여가며 시작을 했는지조차 모를 만큼. 내가 보는 나의 미래는 불 보듯 뻔했다. 결국 나는 공무원을 그만둬야 하는 운명이었다. 그런데 무서웠다. 1년 넘게 나의 노력, 나의 시간을 투자한 일을 이렇게 쉽게 그만두다니. 아무리 유별나고 충동적인 성격의 나였지만, 응급실까지 가면서 고생했던 나의 노력을 무시한 채 시도조차 해보지 않고 그만둘 수는 없는 일이었다. 그래서 올라오는 퇴사 욕구를 꾸역꾸역 눌렀다.

하지만 '언젠간 그만둘 일'이라고 생각하기 시작하자, 시간이 아깝다는 생각이 끊임없이 들었다. 그런데 그때는 지금처럼 MZ세대, 젊은 공무원들의 퇴사가 유행처럼 번지는 시기도 아니었기에 신규가 아무런 이유도 없이 공무원을 그만둔다는 것은 거의 미친 짓에 가까웠다. 그래서 '나는 또라이가 아니다'라며 계속 나를 달랬다.

그렇게 출근 4개월쯤 되었을 때 그냥 지나칠 수 없는 어떤 사건이 일어났다. 직렬 특성상 나는 교대근무를 했었는데, 나의 수면시간이 끝나고 업무로 복귀하려고 일어섰을 때 갑자기 정신을 잃고 쓰러진 것이다. 단 몇 초 동안의 기절이었지만 나는 적잖이 당황했다. 아마 그것은 잠깐 자기 전에 먹었던 두통약의 부작용인 듯했다. 그런데 하필 머리 터지게 퇴사를 고민하는 이 시기에 기절이라는 것을 하다니.

'그래. 이건 그만하라는 계시야. 인생은 길어. 한 살이라도 어릴 때 다시 하면 돼.'

"나 공무원 그만둘까 해."

이 말을 들은 부모님은 다행히 내가 생각했던 것보다 긍정적으로 받아들여 주셨고 이해해주셨다. 아마도 아무 연고도 없는 타지에 혼자 덜렁 발령이 난 채로 밤에도, 새벽에도 근무를 해야 하는 딸에 대한 걱정이 크셨던 것도 순순히 퇴사 결정을 받아들이신 이유인 듯했다. 남자친구 역시 내 결정을 존중해 주었다. 차라리 잘 되었다고, 본인이 발령받을 지역에 와서 같이 살자고 하면서 여유를 두고 하고 싶은 일을 찾아 보라고 말해줬다. 사실 남자친구에게 더 미안했던 것은, 퇴사를 결정하기 전에 내가 '1년 뒤에 결혼하자!'라고 말하며 그에게 프러포즈를 했기 때문이었다.

왠지 모를 죄스러움에 우물쭈물하던 나에게 그는 우리의 결혼이 나의 퇴사와는 전혀 무관하다고 얘기했다. 나 또한 공무원을 그만둬도 경제활동은 당연히 할 것이었기에, 남자친구에게 최대한의 미안함을 내비치며 퇴사 후에는 나와 결이 맞는 일을 찾겠노라 약속했다. 나 스스로에게도, 사랑하는 나의 사람들에게도 죄책감을 가진 채로 의원면직서를 제출했다.

그렇게 나는, 1년을 넘게 준비했던 공무원을 6개월 만에 그만뒀다.

당시 남편은 경기도에 정식 발령을 받아 출근을 하고 있었다. 이런저런 퇴사 고민을 말할 때면 늘 "걱정 말고 그만둬. 그만두고 너와 맞는 일을 찾아봐." 하고 말해주던 그였기에 나는 기절 사건을 계기로 어느 날 그에게 용기 내어 진짜 퇴사를 하려고 한다고, 퇴사할 날도 이미 정했다고 말했다. 그런데 그는 내가 예상한 것과는 전혀 다른 뜻밖의 말을 했다.

"나도 해보니 공무원 일은 오래 못 하겠어. 결혼하고 우리 같이 해외로 가자."

이럴 수가. 남편은 남자 버전의 나였구나! 사실 남편도 원하는 회사에 취업을 실패한 후 '에라 모르겠다' 식으로 공무원 시험에 뛰어든 것이니 적성에 안 맞을 수도 있겠다는 생각은 했다. 하지만 그토록 어렵게 합격한 공무원을 이렇게 빨리 내려놓을 생각을 하다니. 이런 그를 보면서 나는 눈물이 날 만큼 안도감이 들었다. 나만 이상한 사람이 아니구나. 나만 연어처럼 세상이 가라는 길을 거슬러 가려는 것이 아니구나. 동시에 나와 결이 같은 사람이 나의 예비 신랑이라니, 나는 참 운이 좋다는 생각을 자주 했던 것 같다.

남편과 나의 마음이 같다는 것을 확인하고서 우리는 아주 오래 대화를 나눴다. 그리고 흥미로운 결론을 내렸다. 결혼식 후 함께 스페인 워킹홀리데이를 가기로! 그렇게 우리는 결혼식과 동시에 퇴사 후 유럽으로 모험을 떠날 준비도 시작했다.

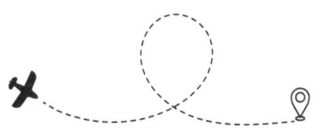

한 살이라도 어릴 때 떠나자,
근데 코로나?

우리는 결혼식을 올렸다. 그리고 계획대로 남편이 퇴사하면 한국의 짐을 정리하고 일단 해외로 나가기로 했다. 다만 신혼여행에서 계획이 살짝 변경되었다. 원래 스페인으로 가기로 했었던 계획을 차를 타고 떠나는 세계여행으로 바꿨다. 이유는 단순했다. 더 많은 나라를 보고 싶어서였다. 차를 배에 실어 러시아 블라디보스토크로 보내고, 거기서부터 러시아 주요 도시와 유럽 그리고 미국까지 4륜 자동차로 여행을 한 후 돌아온다는 계획을 세웠다. 신혼여행을 마친 후 신혼집으로 돌아오자마자 우리는 커다란 세계 지도를 사서 '차 타고 세계여행' 계획을 구체화하기 시작했다. 각자 가고 싶은 나라 위에 초록색, 빨간색 별 스티커를 붙이며 설렜다.

그렇게 좋을 수가 없었다. 세계여행을 시작한 것도 아니고 준비만 하는 것인데도 우리는 마냥 신이 났다. 공시생이 되었을 때부터 무언가 바닥까지 가라앉아 있었던 나의 모험에 대한 열정이 팡파레처럼 터지는 것 같았다. 나는 오로라를 보러 꼭 스웨덴이나 덴마크 같은 시리도록 추운 북유럽에 가보고 싶었고, 남편은 독일에 가서 독일 소시지를 먹어보고 싶다고 했다. 아직 러시아행 카페리 티켓을 예약하지도 않았고, 남편은 공무원을 그만두지도 않았으며, 우리의 신혼집을 정리하지도 않았지만, 그저 남편과 손잡고 나의 오랜 꿈을 계획하는 것만으로도 신이 났다.

운영하던 블로그에 우리의 여행 계획을 공유하면서 먼저 자동차로 세계여행을 다녀왔던 여행 선배님들의 따뜻한 댓글 조언도 많이 받았다. 그렇게 추가하고 또 고치며 총 180일의 자동차 세계여행 일정을 만들었고, 출발일이 얼마 남지 않았던 참이었다. 이대로 실현만 된다면 우리의 인생이 바뀔 것이다. 우리는 여행 계획을 손에 들고서 잔뜩 부풀어 있었다. 카페리 일정에 맞춰 여행 출발 날짜를 확정하고, 남편은 그날에 맞춰 가장 적당한 퇴사일을 고민했다.

그런데 전혀 예상하지 못했던 문제가 생겼고 사태는 점점 커지고 있었다. 신혼여행에서 돌아올 무렵, 중국에서 어떤 바이러스가 퍼지기 시작했다는 뉴스가 나왔다. 그때가 2019년 11월 중순이었는데, 처음엔 그저 '예전의 신종 플루 같은 것이구나' 하는 생각과 함께 가볍게 넘겼다. 그런데 감기처럼 지나갈 줄 알았던 그것은 자꾸만 뉴스 메인 기사에 실리고, 이것 때문에 외국인의 입국을 막는 나라들도 속속 생겨나고 있었다. 세계여행 디데이 숫자는 점점 줄어들고 떠날 준비도 거의 다 했는데! 우리는 점점 심각해지는 상황을 애써 무시했다. 우리 일정에 있던 나라들은 별다른 조처를 취하지 않았기에 여행을 미루거나 취소해야 한다고는 생각하지 않았다. 오히려 여행금지를 하는 나라들이 유난을 떤다고 생각했다.

설마 했던 것이 현실이 되는 순간

계획했던 자동차 세계여행을 포기하면 그 좌절감이 너무클 것 같았다. 아니, 솔직히 그것보단 '나 공무원까지 그만뒀는데, 지금 안 나가면 영영 못 나갈지도 몰라' 하는 불안감이 더 컸을지도 모르겠다. 그렇게 심각해지는 사회적 분위기도 애써 무시하며 중고 4륜 자동차를 결정하는 막바지 준비 단계에 이르렀을 때, 즐겨보던 여행 유튜버의 영상이 눈에 띄었다. 섬네일부터 급박했던 그 영상의 내용은 이러했다. 세계여행 중 코로나가 심각해져 락다운이 되었고, 한국으로 돌아가야 하는데 코로나로 인해 항공편이 줄줄이 취소되고 있다는 것. 비행기를 몇 번이나 갈아타며 돌고 돌아 겨우 한국으로 돌아왔다는 그 유튜버를 보며 나는 천장을 꽤 오랫동안 쳐다봤다. 그러고는 한숨을 깊게 내쉬며 옆에 있던 남편에게 말했다.

"우리, 아무래도 여행은 조금 미뤄야겠지? 육로 입국도 다 막고 있대."

"아무래도 그래야 할 것 같아. 출발일을 조금이라도 미루는 게 낫겠어."

남편은 내 말이 끝나기가 무섭게 수긍했다. 그는 결국 여행을 미뤄야 할 것이라고 생각은 했지만, 방방 뛰고 있던 내가 실망할까 봐 그저 기다리고 있었던 모양이었다. 설마 했던 것이 현실이 되는 순간이었다. 결국 결혼 전부터 계획하고 수정하며 애정을 들였던 세계여행을 포기했다. 완전히 놓은 것은 아니고 잠시 미룬 것이었지만, 여행은커녕 해외에 나갈 수조차 없는 상황에 우리는 '결혼 후 외국으로 가자'고 했던 약속조차 지킬 수 없게 되었다. 달력에 날짜까지 동그라미 치며 고대했던 남편의 의원면직 또한 결국 실행하지 못했다. 코로나로 국내 여행도 마음 편히 못 가는 판국에, 결혼까지 한 사람이 멀쩡한 직장을 때려치우고 무작정 해외여행이 풀리기만을 기다릴 수는 없었으니까.

　그런데 남편 직장에서 약간의 문제가 생겼다. 블로그에 세계여행 준비 과정을 올리면서 자연스럽게 퇴사 예정 계획도 들어가게 되었는데, 남편 동료 직원들이 우연히 블로그를 발견한 것이다. 자연스럽게 남편의 퇴사 의지도 밝혀지게 됐고 남편은 출근할 때마다 '그만두려고?' 하는 질문을 받아야 했다. 심지어 여행 연기를 완전히 확정하기 전이라 질문에 뭐라 대답을 할 수도 없는 상황이었다. 그러다 근무하던 행정복지센터의 동장님과 팀장님에게까지 전달되어 상담까지 하게 되었다고 한다. 동장님께서는 남편이 퇴사하는 것을 아쉬워하시며 말리셨고, 팀장님도 언제 술 한잔하자고 하시며 아쉬움을 전했다고 한다. 그런 상황에서 대답을 얼버무리던 남편은 여행이 끝내 무산되자 "그렇다면, 다시 한 번 잘 생각해보겠습니다"는 말을 하며 얼렁뚱땅 넘겨버렸다. 아무튼 남편은 한동안 마음이 상당히 복잡했다고 고백했다.

　촘촘하게 일정을 짜며 그토록 기대했던 여행을 포기했을 때는 상실감이 제법 컸다. 오래 꿈꿔왔던 세계여행을 시작하면 '차박'을 하면서도 그 황홀함에 새로운 인생을 살 수 있을 것 같았다. 그리고 어렵게 얻은 공무원을 그만둬버린 죄책감을 놓을 수 있을 것 같았다. 울며불며 퇴사를 하면서 이번에는 반드시 원하는 일을 하리라 다짐했건만, 이번에는 정말 의미 있는 일을 해낼 수 있을 것이라 자신했건만, 상상하지도 못한 문제로 모든 것이 수포가 된다니. 세상이 나를 버리나 싶어 마음 한쪽이 찌르르 아팠다. 아리고 쓰렸다.

전례 없던 바이러스는 'COVID-19'라는 새로운 이름까지 달아 빠르게 그 세를 넓혀갔다. 아무도 그 끝이 언제가 될지는 예상하지 못했지만, 아무리 그래도 해를 넘기지는 않으리라 생각했다. 곧 잠잠해져서 얼마 지나지 않아 떠날 수 있을 것이란 희망을 버리지 못한 채, 우리는 그렇게 한국에서의 일상으로 돌아갔다.

숨죽인 2년 동안 떠날 준비를 했다

최대 반년이 될 줄 알았던 기다림은 결국 해를 넘었다. 게다가 나아지기는커녕 빗장을 더욱 단단히 걸어 잠그는 나라들이 많아졌다. 언제 풀릴지 몰라 단기 계획만 세우며 한 달짜리 인생을 살고 있었던 나는 이때 우울증 비슷한 것을 겪기도 했다. 세계여행을 떠나지 못하게 되자 '내가 쓸데없이 일을 관뒀다'는 생각이 나를 지배했다. 맞지도 않을 직업을 선택해서 시간을 낭비했다는 자책감, 그것을 준비하느라 썼던 기간에 대한 아까움 등 부정적인 감정이 가득 차 있던 시간이 꽤 길었던 것 같다.

진짜 우울증이라고까지는 할 수는 없겠지만, 아무튼 그때의 나는 스스로도 감당하기 싫을 정도로 꼴 보기 싫었다. 남편이 출근하고 나면, 텅 빈 신혼집에서 혼자 코로나 관련 뉴스를 검색해보다가 청소를 하고, 겨울의 곰처럼 내리 잠만 자기도 했다. 그렇게 스스로를 무능한 바보라고 여기며 나 자신을 가장 미워하던 그때, 남편은 늘 내 옆에서 소중하다는 듯이 내 이마를 만지며 이런 말들을 해줬다.

"전부 다 내가 알아서 할 테니까 너는 너 하고 싶은 것만 하고 살아."

"돈은 내가 버니까 너는 걱정하지 말고, 네가 좋아하는 일을 찾아봐."

"내가 볼 땐, 너는 잘하는 게 정말 많아. 가능성이 무궁무진한데 누가 바보야."

그때의 나는 부정적인 감정으로 가득해서 남편의 이런 예쁜 말이 와닿지는 않았다. 하지만 남편은 지치지도 않고 나를 끌어올려 줬다. 내가 하고 싶다고 하는 것들을 먼저 해주고, 보기 싫게 축 처져있는 무기력한 나를 아이 다루듯 어르고 달래가며 끊임없이 응원해줬던 남편 덕에 나는 얼마간의 시간이 지나 다시 몸을 일으킬 수 있었다.

준비, 준비, 또 준비

계획했던 여행은 거의 반포기 상태였지만, 지독한 이 바이러스도 언젠가는 끝이 날 것이니 '해외로 나가자' 플랜은 반드시 실행하겠다고 다짐을 했다. 그리고 우리는 코로나가 물러날 동안 여기 한국에 있는 시간을 기회로 삼아 처음 여행을 계획했을 때보다 더 철저하게 준비를 해놓기로 했다. 언제든 다시 입국이 가능해질 때가 오면 아무런 머뭇거림 없이 바로 그만두고 갈 수 있도록.

우리는 그렇게 약 2년 동안 여느 신혼부부와 다름없이 살았다. 남편은 지방직 공무원으로 성실하게 일하면서 이직하고 싶은 분야와 진로를 탐색했고, 나는 신혼집 근처에서 길면 3달, 짧으면 1달의 단기 계약직을 전전하며 돈을 모았다. 그리고 열심히 재테크를 했다. 해외로 가고 싶다는 꿈은 있었지만, 국밥 없이는 못 사는 뼛속까지 한국 체질인 나는 결국에는 한국에 돌아와서 살고 싶었기에 우리가 긴 모험을 끝내고 한국으로 올 때는 걱정 없이 다시 정착할 수 있게끔 만들어놓고 싶었다. 그렇게 2년 동안 일하고 아끼며 우리가 할 수 있는 최선을 다해 여유자금을 만들어놓았다. 이 기간 동안 한국에서의 보금자리도 마련했고 외국에서 잔고가 바닥날 때 꺼내 쓸 수 있는 비상금도 넉넉히 마련해 두었다.

통장에 여유가 조금 생기니 마음의 여유도 조금 더 생겼다. 결혼 후 바로 여행을 못 간다고 징징대며 세상 탓을 했었는데, 2년 동안 제대로 된 준비를 하고 보니 그때의 내가 얼마나 현실감각이 없었는지 깨달았다. 만약 그때 재테크 공부를 전혀 하지 않았더라면, 비상 대책이 되어줄 그 무엇도 준비해놓지 않고 그대로 자동차 세계여행을 갔더라면, 우리는 가장 중요한 돈이 문제가 되어 결국 6개월도 못 버티고 돌아왔을 수도 있다. 만약 그랬다면, 아일랜드도 호주도, 그리고 지금 머물고 있는 말레이시아도 가보지 못한 채 한국에 취업해서 살고 있지 않았을까. 코로나바이러스로 숨죽였던 2년이라는 기간은 오히려 전화위복이 되어 우리의 세계 모험을 더 오래 지속할 수 있게 해준 기회가 되었다.

2년 동안 많은 것들이 변했고, 신혼을 즐기며 돈 모으는 재미에 빠지다 보니 방방 뛰며 준비했던 세계여행은 어느새 조금씩 마음에서 옅어지고 있었다. 남편은 여전히 공무원으로 근무하며 IT 분야로의 이직을 준비하고 있었고, 나는 일을 하며 재테크에 푹 빠져 살았다. 그러면서도 여전히 잠잠해질 기미가 보이지 않는 코로나에 조급했던 기대는 어느새 막연한 희망으로 바뀌었고, '언젠가는 해외에 나갈 수 있겠지'라는 생각만 가끔 들 뿐이었다. 그러다 대학 친구들과의 만남에서 나는 뜻밖의 정보를 얻었다.

"나랑 같이 일하는 친구, 이번에 요리 배우러 유학 갔어."

"어? 유학? 지금 입국이 되는 곳이 있어?"

"그냥 여행으로 가는 것 말고, 학교나 취업으로 가는 건 가능한 나라는 많을걸?"

잠잠한 일상에 익숙해져 정보를 절실하게 찾아보지 않아 아무것도 몰랐던 나는 그저 어디든 당연히 입국이 안 되는 줄 알았다. 그런데 공부를 목적으로 입국하는 것은 가능한 곳이 많다니! 이직 준비를 하던 남편은 항상 석사 과정을 밟고 싶어 했기에 나는 순간 '이거다!' 싶었고, 남편에게 바로 메시지를 보냈다.

'승우야. 너 혹시 해외 석사 과정은 생각해본 적 없어?'

'지금? 아직 다 막혀있지 않나? 아, 외국인 유학생은 입국이 될 수도 있나?'

'되는 곳이 많대! 친구의 친구도 유학 갔대!'

'오, 그래? 당장 알아보자! 석사로 갈 수 있는 나라!'

출근하는 날에도 새벽에 일어나 공부할 만큼, 얼른 일을 그만두고 원하는 분야로 나아가는 것이 절실했던 남편은, 정말 당장 그날부터 입국이 가능한 나라, 입학 조건이 되는 학교를 알아보기 시작했다. 곧 갈 수 있겠다는 느낌이 온 나는 방구석에서 먼지가 쌓여가던 여행 지도를 다시 꺼내 들었다. 그렇게 우리는 차 타고 가는 세계여행을 미룬 지 2년 만에야 비로소 다시 해외로 나갈 계획을 세우기 시작했다.

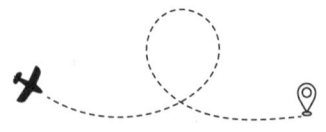

왜 쉬운 길을 놔두고
멀리 돌아가려고 하니?

93년생인 우리는 한국 나이로 서른을 목전에 두고 있었고, 20대의 끝을 알리는 상징적인 나이인 스물아홉 살에는 어디든 꼭 떠나고 싶었다. 서른 살의 첫날, 1월 1일에는 외국에 있고 싶었다. 그냥 이렇게 아무것도 이룬 것이 없는 느낌으로 삼십 대가 되고 싶지 않았다. 지금 생각해 보면 참 납득하기 힘든 이유였지만 그때 우리의 최우선 고려 사항은 '최대한 빨리 나갈 수 있는 곳'이었다.

그래서 남편은 해가 넘어가기 전에 입학할 수 있는 석사 과정을 찾아보았다. 보통 해외 석사 유학은 미국이나 영국처럼 성공이 어느 정도 보장되어 있는 곳으로 가지만, 우리가 모아둔 돈으로 그런 곳에 가기에는 어림도 없어 애초에 지원할 생각조차 하지 못했다. 결과적으로 돈 없는 우리가 선택할 수 있는 곳은 대만 한 곳뿐이었다. 남편이 합격한 대만의 학교들은 학비가 전액 무료일 뿐만 아니라 얼마의 생활비도 준다고 했다. 무엇보다 중요한 것은 학기 시작이 당장 두 달 뒤였다. 공포의 서른 살이 되기 전에 떠날 수 있는 곳이었다.

'이거다! 대만으로 가자. 일단 2년 동안 대만에서 공부하는 거야.'

그렇게 조금은 조급하게 대만 석사를 확정 짓고, 이번에야말로 확실히 떠날 준비를 했다. 가장 먼저 넘어야 하는 산은 양가 부모님이었다. 해외석사를 알아볼 때부터 부모님들께 은근슬쩍 흘리기는 했지만 합격이 확정되고는 처음이었다. '그래도 이해해 주시겠지.' 하는 안일한 생각으로 남편은 부모님께 전화를 걸었다. 소식을 전하고 공무원 퇴사 의사를 밝히자마자 시어머님의 벼락같은 호통이 떨어졌다.

"넌 결혼도 한 애가 지금 뭘 하겠다고? 아서라, 제발 그냥 살아라."

처음부터 끝까지 우리 부부가 손 모아 함께 결정한 일이지만, 일단 '석사 유학'의 주체는 남편이었기에 호통은 그가 다 뒤집어썼다. 친정 부모님은 딸이 아닌 사위가 공부하러 가고 싶다고 하니 딱히 티 나는 반대는 못 하셨지만, 딸에 이어 사위까지 안정적인 공무원을 그만둔다고 하니 마음이 여간 힘든 게 아니셨을 것이다.

이십 대 내내 방방 뛰던 애들이 결혼해서 이제 겨우 자리를 잡는 것 같고, 애도 낳고 남들처럼 사나 싶었는데, 그저 말뿐인 줄 알았던 퇴사를 진짜 하려고 하다니. 그리 똑똑하지도 않은 자식 내외의 미래가 걱정되기도 하고, 손주도 얼른 보고 싶었는데 무슨 이런 날벼락이 있나 싶으셨을 것이다. 하지만 우리는 어디를 가느냐 만이 문제였지 퇴사 후 해외를 간다는 것 자체는 오래 준비해왔고, 다시 기회가 왔을 때는 주저함 없이 가기로 결심하고 있었기에 그저 죄송하다고 밖에 말씀 드리며 정해놓은 계획을 우리식대로 들이미는 수밖에 없었다.

남편은 특히 반대가 심하셨던 시어머님과의 통화를 많이 힘들어했다. 언제나 '그만해라. 정신 차려라'라는 말로 끝나던 통화는, 술을 못 마시는 남편이 스스로 편의점에 술을 사러 가게까지 만들었다. 겨우 소주 한 잔을 작은 잔에 부어 입에 털어 넣고는 터질 듯이 벌겋게 달아오른 얼굴을 하고 비틀비틀 안방으로 들어가 양치질도 안 한 채 잠이 드는 남편을 보며 안타까운 마음이 들기도 했다.

"왜 쉬운 길을 놔두고 멀리 돌아가려고 하니? 대체 왜 그래."

아마 양가 부모님들에게서 가장 많이 들었던 말일 것이다.

우리는 이미 확보한 쉬운 길을 버리고 어려운 길로 가려고 했던 것이었을까? 아무한테도 피해를 주지 않고 그냥 우리가 하고 싶은 일을 하려는 것뿐인데. 한 번뿐인 우리 인생, 우리가 살고 싶은 대로 살아보고 싶은 것뿐인데. 공무원 그만두고 해외 다녀와서 다 늦은 나이에 어떻게 한국에서 다시 시작할지 걱정하시는 부모님의 그 마음을 모르는 것은 아니었다. 나도 '나 같은 딸 낳으면 정말 진 빠지겠다'라는 생각을 자주 하며 살아왔기에 백번 이해한다.

하지만 이왕 태어났는데 우리는 우리와 가장 잘 맞는 삶을 찾고 싶었다. 우리가 꼭 맞는 서로를 찾았듯, 분명 이 세상 어딘가에는 나의 천직도, 평생 살고 싶은 도시도, 그리고 나와 딱 맞는 삶의 모양도 있을 것이다. 29년 동안 하고 싶은 일만 하며 사탕 물고 살아온 것도 아니다. 고등학생 때는 대입만 보고 기계처럼 공부했고 미치도록 달렸다. 현실을 처음 깨달은 공시생 때는 그래도 사회의 일원이 되어보겠다고 엉덩이에 땀띠가 나도록 독서실에 붙어있었다. 결혼 후 해외로 나가려고 했지만 코로나 때문에 좌절할 수밖에 없었고, 기회만을 엿보며 열심히 준비하고 또 준비했다. 이제 겨우 다시 기회가 왔는데 그저 나이가 많다고 해서, 결혼을 했다고 해서 그것을 찾으러 갈 여유조차 없다고 한다면 도대체 삶의 목적은 어디에 있는 것인가.

유별나게 굴지 말고 남들처럼 살아라

나는 유난히 많이 돌아다니는 편이다. 계절 학기를 듣는
한이 있어도 시험까지 포기하고 떠날 정도로 나는 '모험과
여행'이 늘 최우선 순위에 있었다. 남편도 마찬가지다. 언제
나 새로운 것에 도전하기를 좋아하고, 원하는 것은 어려운 길
을 가서라도 꼭 이루고 싶어 했다. 사람은 저마다 유별난 구
석이 하나쯤은 있는데, 우리가 우리만의 유별난 기질을 확실
하게 깨달은 계기가 바로 공무원이었다. 참 어렵게도 깨달았
지만 그때라도 안 것이 어딘가, 차라리 다행이다 싶다. 그래
서 우리는 지금도 종종 말한다. 이십 대 때 공무원 시험 준비
하기를 잘했다고. 그게 아니었다면 인생의 좌절을 몇 번쯤 맛
보고 난 후 삼십 대가 되어 맞지도 않는 공무원 시험에 뒤늦
게 뛰어들었을 것이고, 결국 그때는 그만두지도 못해 해외 살
이고 뭐고 도전도 못 해 보고 참고 살았을 것이라고.

부모님이 바라는 '남들처럼 안정적으로 사는' 인생을 살
기에는 우리의 유별난 기질이 우리를 가만히 놔두지 못했다.

모험을 실컷 하고 나면 나이가 조금 들어서는 괜찮아질 수도 있다. 하지만 지금은 아니었다. 왜 남들처럼 살지 못하냐고 질책하시는 부모님께 한없이 죄송하다가도 때로는 조금 너무하시다 싶은 생각이 들기도 했다. 왜 사람들이 저마다 다르다는 것을 인정하지 않으실까? 왜 젊은 날의 도전을 아름답게 봐주시지 않는 것일까? 서로를 이해하지 못해 부모님과의 갈등은 점점 깊어만 갔다. 그럼에도 부모님의 반대로 해외의 꿈을 포기할 만큼 우리의 바람은 그렇게 가볍지 않았고, 결국 남편은 예정대로 의원면직서를 제출했다.

퇴사 후 세계여행을 하는 사람들을 보면 PPT 자료까지 만들어 부모님을 설득하거나 갖은 방법을 동원하는데, 우리는 못나게도 부모님 설득에 그렇게 적극적으로 나서지는 못했다. 그저 생각을 바꿔 주시기를, 그저 받아들여 주시기를 바라며 시간만 보내다 일을 진행했다. 부모님은 남편이 퇴사를 하는 날까지 "진짜 그만두냐?" 하고 말씀하셨던 것 같다. 지금은 응원해주시지만 그때는 하루하루가 살얼음판이었고, 끝없이 밀려오는 죄책감에 우리는 먼저 연락을 드리지도 못했다. 그때의 죄송함과 죄책감을 자식의 행복으로 보답하기 위해 우리는 매일 매일을 고군분투했다. 우리가 원하는 삶의 모양을 찾아서.

그렇게 우리는 부모님의 반대와 우려를 등에 업고 대만으로 떠날 준비를 했다.

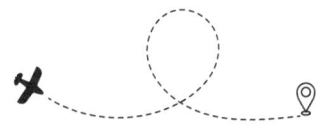

대만, 홍콩, 캐나다를 거쳐
마침내 아일랜드

대만 학기 시작 한 달 전쯤, 나는 짧게 하던 일을 그만두었고 남편까지 퇴사를 했다. 우리는 부정할 수 없는 백수 부부가 되었다. 한국에는 언제 돌아올지 몰라 신혼집과 자동차를 정리했다. 그리고 죄책감으로 얼룩진 채 양가 부모님 댁에 다녀온 후 입국 전까지 지낼 곳을 찾다가 얼마간 제주도에 있기로 했다.

대만 석사 과정 입학은 지원부터 합격까지 물 흐르듯 순조롭게 진행되었다. 아니, 그런 줄 알았다. 코로나로 인해 대만은 유학생만 받아주고 있었는데, 석사생의 배우자가 비자를 받을 수 있을지는 확실치 않았다. 그래서 퇴사 전 대만 대표부와 통화를 했고, '아마 배우자도 들어갈 수 있을 것이다'라는 답변을 받았다. 그때는 어떻게든 해외로 빨리 나가고 싶었기에 우리는 그 애매한 답변을 80% 이상의 긍정적인 가능성으로 해석해 버렸다. 그렇게 제주도에서도 하루에도 수십 번 '당연히 나올' 대만 비자 업데이트 소식을 확인하면서 대만 호텔 자가 격리, 월세 계약 등에 대한 정보를 모으기만 했다.

그렇게 제주에서 2주 정도의 시간을 보냈던 것 같다. 마침내 기다리고 기다렸던 석사 유학생에 대한 비자 소식이 들려왔다. 다시 대만 대표부에 전화해 배우자 비자는 어떻게 신청하면 되는 거냐며 물었는데 당황스러운 답이 돌아왔다. 현재는 유학생 본인만 입국이 가능하고, 배우자는 비자 발급이 안된다는 것. '아마 될 것이다'에서 '아마'를 무시해버린 우리의 잘못이었다. 오직 나가고 싶다는 열망으로 그 직원의 말을 맹목적으로 믿어버린 탓이다. 결국 나는 남편과 함께 대만으로 못 가게 된 것이다. '우린 왜 이렇게 멍청할까?' 끝도 없이 자책을 했지만 자책할 시간조차 별로 없었다. 이미 홈리스 백수가 되어버렸는데 어떡해! 갑자기 닥친 비보에 우리는 긴급회의를 했다.

플랜A는 망했다. 지금은 플랜B가 시급하다! 일단 두 가지 선택지가 있다. 첫 번째는 남편 혼자 대만에 들어가서 공부를 하고 있다가 배우자 비자가 열리면 내가 들어가는 것. 두 번째는 대만을 포기하고 함께 갈 수 있는 다른 나라를 알아보는 것. 첫 번째가 더 현실적이었지만, 대만은 국경을 개방하는 데 상당히 보수적이었기에 어떻게 보면 유학생 비자를 열어준 것만으로도 기적이라고 할 수 있었다. 그래서 배우자 비자는 일 년 안에는 열리지 않을 가능성이 높았고, 그렇게 오래 떨어져 있을 거라면 이 계획이 다 의미 없다는 결론을 내렸다.

남은 건 새로운 곳을 찾는 것뿐이었다. 그런데 이 선택을 끝까지 망설였던 이유 중 하나는, 퇴사를 간곡히 말리는 부모님께 '이번 아니면 기회가 없을지도 모른다. 공부를 하러 가야겠다'고 해놓고, 내가 함께 못 간다는 이유로 쉽게 포기해버리는 것이 상당히 부끄러운 일이라고 생각했기 때문이었다. 하지만 신혼부부인 우리가 기약 없는 생이별을 하고, 신혼집을 세입자에게 넘긴 상태로 나 혼자 한국에서 홈리스로 떠도는 생활을 선택하기는 더욱 곤란했다.

오래 고민할 시간이 없었다. 남편까지 공무원을 그만둔 마당에 반드시 떠나야 했다. 해외 어디라도 지금 나가지 않으면 한국에서 재취업을 해야 할 것이고, 그렇게 되면 평생 못 나갈지도 모르는 일이었다. 우리는 급하게 대안을 찾았다. 함께 들어갈 수 있고, 영어권이면서도 동시에 일도 할 수 있는 나라. 먼저, 홍콩 워킹홀리데이가 눈에 띄었다. 당시 홍콩은 시위로 나라가 어수선했지만 워킹홀리데이 비자 발급은 하고 있었다. 나는 곧바로 중국 비자센터에 메일로 문의를 했고 가능하다는 답변을 받았다. 정작 가장 중요한 홍콩 생활이 어떨지는 뒷전이었다. 유튜브에서 홍콩 생활 영상을 두어 개 찾아본 것이 전부였다. 대안을 찾은 기쁨에 취해 우리는 바로 비자 서류를 준비했다. 홍콩은 월세와 생활비가 무척 비싸다는 것을 알고서, 남편은 미리 취업을 해서 들어가고자 어느 회사에 지원 서류도 넣었다. 무슨 자신감이었는지는 모르지만 남편은 합격할 가능성이 높다고 했고, 우리는 '대만보다 더 재밌겠다!'라는 환상을 가진 채 입방정을 떨었다.

그러다 지원한 회사에서 최종 면접 결과 메일이 왔다. '안타깝게도……'라고 시작하는 그 메일을 보자 그제야 현실을 자각할 수 있었다. 합격은 어렵지 않다고 생각해 끙끙대며 비자 서류를 준비했던 우리가 바보 같았다. '당연히 나올 비자'에 이어 '당연히 할 합격'이라니. 세상 멍청한 우리가 참 우스웠다. 우리는 그 정도로 현실감각이 없는 그야말로 완벽한 바보들이었다. 그리고 그제야 홍콩에서의 삶이 선명하게 보이기 시작했다. 호텔 자가 격리비로만 200만 원이 넘게 들어가고 월세는 세계 랭킹 최상위권에 들어갈 만큼 비싸다. 게다가 현지 청년들도 구직난을 겪는 판이다. 조급함에서 멀어지니 홍콩이라는 현실이 확실히 보였다. 그제야 알았다. 홍콩은 대만의 대안이 아니라, 3개월도 못 버티고 돌아올 실패가 예견된 곳임을.

괴로웠다. '남편까지 공무원을 그만뒀는데'라는 생각이 내 머릿속을 떠나지 않았다. 그렇지만 우리는 홈리스에 백수였고, 괴로워할 시간조차 허락되지 않았다. 슬픔은 짧게 쳐내고 신속히 다른 대안을 찾았다. 워킹홀리데이가 가능한 캐나다가 눈에 들어왔다. 당시 캐나다는 미리 일자리를 구한 외국인에 한해 비자를 발급해주다가 우리가 찾아볼 때쯤, 본래의 추첨제로 돌아갔다. 워낙 인기가 많은 캐나다 워킹홀리데이였기에 나와 남편 둘 다 선정될 가능성은 낮아보였다. 어학원에 등록하면 학생으로 들어갈 수는 있었지만, 캐나다의 학원비는 예산 초과였다. 그런데 관광비자로 6개월은 체류가 가능했다. '영어야 그 나라에 가면 생활하면서 배울 수도 있는 건데, 굳이 비싼 학원비를 들일 바에야 그 돈으로 여행하며 공부하자'는 또 다른 충동적인 계획을 세웠다. 그러고는 바로 두 명에 150만 원이 넘는 캐나다 왕복 항공권을 구매했다.

그렇게 무언가에 홀린 듯 캐나다 입국을 준비하던 중 먼저 정신을 차린 것은 남편이었다. 관광비자로는 일도 못 하니, 고인 돈을 쓰는 수밖에 없었다. 그것도 겨우 6개월 동안. 2년 간 힘들게 모은 돈을 캐나다에서 다 탕진하자는 것은 해외에 몇 년 동안 살리라는 원래의 계획과는 전혀 맞지 않았다. 대충 계산해도 겨우 반년에 족히 천만 원은 우습게 들 법한 이 계획은 도저히 감당이 안 되겠다는 남편의 말에 나 또한 동의할 수밖에 없었다. 결국 이틀 만에 결정을 번복했다. 심지어 그사이에 양가 부모님들께 캐나다 계획을 발설해버려서 더욱 비참했다. 지금 와 생각해 보니 그때의 우리는 신기할 정도로 멍청했다. 지금이 아니면 해외에 못 간다는 불안감에 그만 정신줄을 놓아 버렸던 것 같다.

캐나다 항공권 환불을 신청할 때는 한심한 결정만 반복하는 우리의 모습에 스스로 환멸을 느낄 정도였다. 그래도 여전히 대안이 필요했다. 그러다 캐나다 어학원을 문의했던 한 유학원으로부터 솔깃한 정보를 얻을 수 있었다. 캐나다가 조금 비싸다면 아일랜드나 몰타를 생각해보는 것도 한 방법이라고 했다. 몰타는 대학 친구가 학교 프로그램으로 잠깐 다녀온 곳이라 알고 있었지만, 아일랜드에 대해서는 거의 아는 것이 없었다. 남편도 마찬가지였다. 영어를 사용하는 몇 안 되는 유럽 국가인지도 모를 정도였으니.

그런데 이 어쩌다 알게 된 아일랜드가 놀랍게도 우리가 찾는 모든 조건에 부합했다. 워킹홀리데이 비자는 중단되었지만, 어학원에 등록하면 학생비자로 8개월을 지낼 수 있었고, 심지어 그 비자로 일도 할 수 있었다. 어학원 비용은 코로나 할인 중이어서 거의 반값이었다. 영국 옆에 있어 유럽 여행하기도 최적의 위치였다. 억양은 조금 독특하지만 영어를 사용하는 나라, 그리고 3주만 준비하면 입국이 가능해 스물아홉 살인 지금 떠날 수 있는 나라. 이곳이 바로 우리가 찾던 바로 그 적합한 대안이었다.

그래, 아일랜드다.

우리는 빠르게 어학원에 등록하고 더블린으로 가는 비행기 티켓을 끊었다. 이제 더는 무를 수 없다. 변경할 수도 없다. 수많은 방황은 끝났다. 그렇게 우리의 첫 나라는 낯선 나라 아일랜드가 되었다.

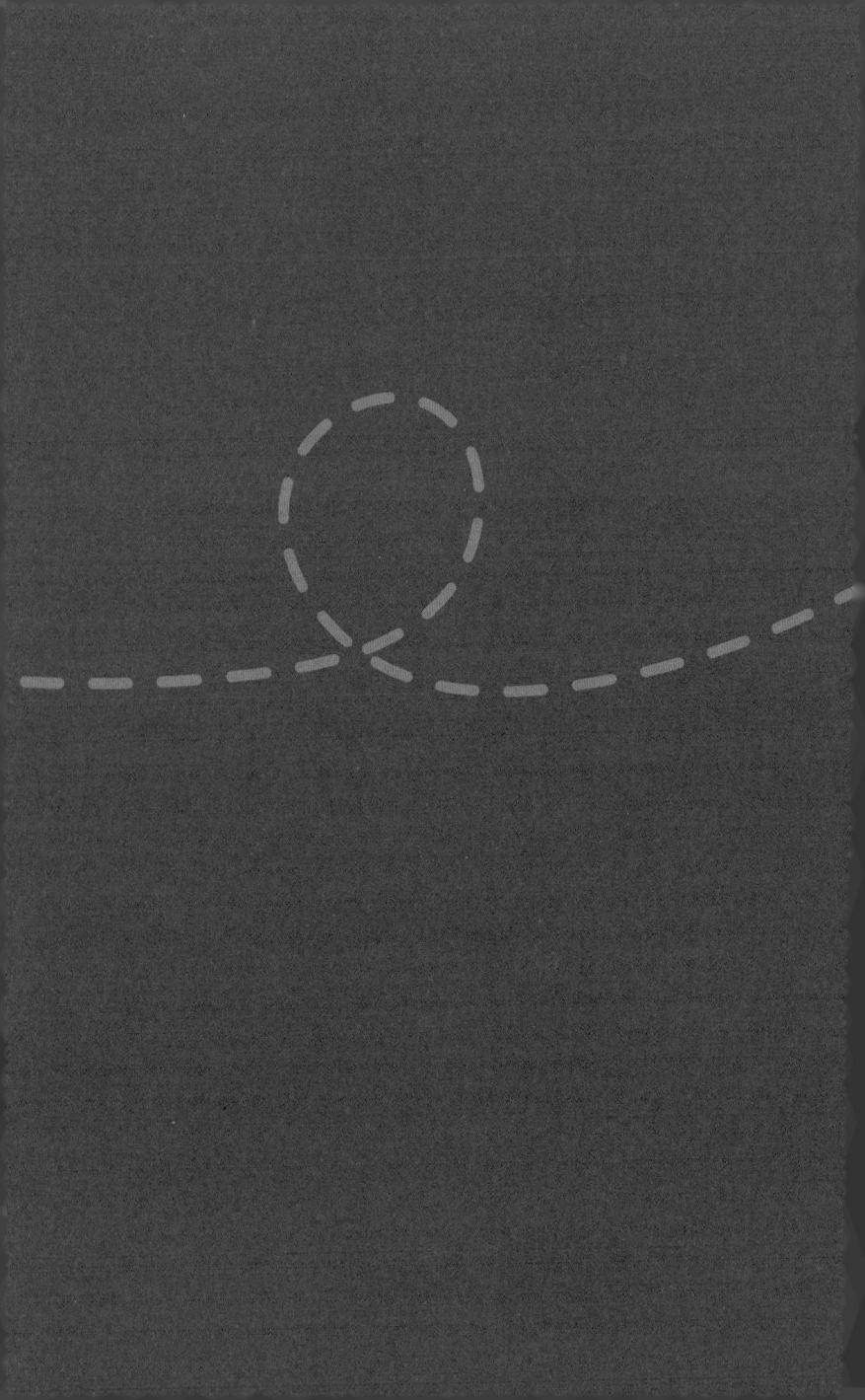

Part 2.

무작정 떠난
아일랜드 더블린

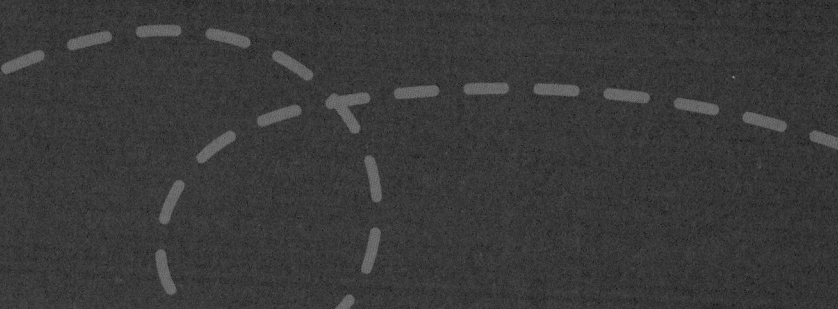

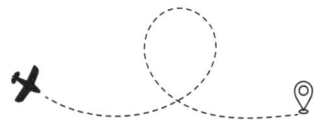

백수 부부의 눈물겨운
아일랜드 정착기

'결혼 2년 차 29살 동갑내기 부부. 안정된 직장도, 집도, 차도 버리고 어학연수를 간다.' 우리의 이 선언은 부모님으로부터는 치열한 반대를, 친구들로부터는 '와, 진짜 용기가 대단하다'라는 반응을 이끌어냈다. 우리는 사실 놀라워하는 그들의 반응을 잘 이해하지 못했다. 오랫동안 바라왔던 일이니 당연하다고 생각했고, 그들은 '결혼도 했으니 별일 없이 살겠지.' 하고 여겼던 듯하다. 남들이 보기엔 당연히 '왜?'라고 물을 수밖에 없는 결정이었다.

그런데 아일랜드는 대만 석사가 무산되자 조급해진 마음에 다소 성급하게 결정한 곳이었기에 막상 떠나기 전에는 우리조차 '이게 과연 맞는 일일까?' 하는 의문이 들기도 했다. 하지만 무를 수도 없는 일이었다. 아일랜드가 아니면 한국 취업뿐이었던 우리에게 아일랜드는 배수진이었다. 그래서 더블린에서 살아남기 위해 하나라도 더 준비를 해야 했다. 여행이 아닌 해외 장기 체류는 처음이었던 우리가 준비할 것은 그야말로 산더미였다. 출국 전까지 건강검진, 보험, 짐 꾸리기 등으로 정신없이 시간을 보냈다. 아일랜드 버킷리스트, 가고 싶은 유럽 도시 리스트업도 하며 막연한 불안을 기대와 설렘으로 바꾸려고 노력했다.

그리고 드디어 결혼 전부터 바라왔던 '해외로 나가자' 플랜을 실현하는 날이 다가왔다. 그런데 그날은 우리가 2년 동안 기대했던 것과는 달리 전혀 낭만적이지 않았다.

큰 캐리어 두 개와 작은 캐리어 한 개, 무거운 노트북 2개가 들어있는 배낭. 드디어 떠난다는 설렘에 한껏 상기되어 KTX를 탔다. 친정집에서 인천공항까지, 공항에서 네덜란드 암스테르담 스키폴공항 그리고 최종 목적지인 아일랜드 더블린까지. 이동 시간만 20시간이 넘는 긴 여정이었다. 기한 없는 해외 살이였기에 짐의 무게는 더욱 무거웠다. 20kg 정도 되는 캐리어들을 질질 끌며 땀을 뻘뻘 흘렸다.

KTX에서부터 손이 덜덜 떨렸다. 우리가 탈 KLM네덜란드항공의 기내식이 맛있다는 소문을 듣고 와서, 기내식을 최대한 맛있게 먹겠다며 하루 종일 굶은 탓이었다. 우리는 배고픔을 견디는 것이 힘들었고, 공항철도에서는 말할 힘도 없어 캐리어에 겨우 몸을 기대어 갔다. 공항에 도착하자마자 허기짐에 다리를 달달 떨며 먹을 것을 찾던 중 내가 소리쳤다.

"저기 롯데리아, 롯데리아!"

그 길로 달려가 햄버거 2개를 사 와서는 빈 공항의 구석진 자리에서 허겁지겁 삼켰다. 배고픔이 가시니 그제야 정신이 돌아왔다. 거의 찢겨 있는 햄버거 포장지에 우리는 서로를 보며 쓴웃음을 지었다. 아마 남편도 '여기서 왜 이러고 있나.' 하는 생각을 했던 것 같다.

그래도 좋았다. 대학생 때 갔던 유럽 배낭여행 이후 장거리 비행은 오랜만이라 설레었다. 이때는 2021년 10월. 코로나로 여행을 못 하던 시기여서 경유지인 암스테르담으로 가는 비행기는 좌석이 텅텅 비어있었다. 대부분의 승객이 누워서 갈 수 있었지만, 왜인지 우리 좌석은 팔걸이가 올라가지 않았다. 당시만 해도 영어 스피킹에 자신이 없던 남편은 외국인 승무원에게 우물거리면서도 용기 내어 물어봤지만 그 승무원은 귀찮았는지 안 된다고만 하고 가버렸다. 할 수 없이 우리는 부동의 팔걸이에 조금 기대어, 누워 가는 옆자리 승객을 부러워하며 14시간을 꼿꼿이 앉아서 갔다. 그토록 기다렸던 외국으로 가는 길. 어떤 것 하나도 순조롭지 않았다.

암스테르담에서 더블린으로 넘어왔을 때는 거의 녹초가 되어있었다. 꼬박 하루가 걸려 도착한 아일랜드의 첫인상은 그저 '이야, 날씨 좋다'뿐이었다. 거의 반실신 상태였던 우리는 오랜만에 만나는 유럽에도 별 감흥을 느끼지 못하고 얼른 숙소로 가고 싶었다. 다행히도 유학원 직원이 마중을 나와 지친 몸으로 택시를 부르지는 않아도 됐다. 차를 타고 20분 정도를 달려 더블린 12구의 어느 조용한 골목에 내렸다. 원래 초기 정착할 때는 호텔이나 에어비앤비로 며칠 묵을 방을 구하고 가지만, 더블린은 단기 숙소가 상당히 비쌌고 집을 구하는 데도 시간이 꽤 걸린다고 들어 우리는 한 달 동안 묵을 수 있는 숙소를 미리 구했다. 더블린에서의 첫 한 달을 지낸 그 오래된 이층집은 예상보다 더 유럽스러움으로 가득했다.

비밀번호가 아닌 열쇠로 여는 문, 걸을 때마다 삐걱대는 바닥, 전기식 온수 장치를 쓰는 낡은 욕실, 외국에서만 나는 낯선 냄새, 이국적인 향은 우리가 한국에서 떠나왔음을 새삼 느끼게 했다. 오후 4시, 피곤한 몸을 질질 끌고 도착한 집. 침대 위로 가 바로 자고 싶었지만 당장 먹을 것이 없었다. 경계심 많은 남편은 낮에도 불안한데 해가 지면 나갈 수 없을 것이라고 판단했고, 널브러져 있는 내 팔을 붙잡아 끌고 근처 마트로 향했다. 생각보다 비싸지 않은 고기와 각종 식재료에 조금 흥분한 우리는 외국에서는 특히 더 잘 먹어야 된다며 이것저것 쓸어 담았다. 월세 포함 초기비용으로 1,000만 원만 들고 왔기에 일을 구하기 전까지 최대한 아껴 살자고 다짐했건만, 타국의 낯섦과 쓰러질 듯한 피곤함 앞에서는 절약이고 뭐고 생각할 겨를이 없었다.

이국적인 집에 더 이국적인 풍경. 낯섦이 문득 외로움으로 다가오기도 했지만, 우리는 서로를 위로하며 그럭저럭 잘 지냈다. 여차저차 어느새 더블린 생활 일주일이 되던 날, 아침을 먹고 학원 갈 준비를 하던 남편의 휴대폰이 '징~' 하고 울렸다. 옷을 입다 말고 메시지를 확인한 남편은 갑자기 말이 없어졌다. 남편은 먼 곳을 바라보며 그냥 멍하니 서 있었다. 무슨 일이냐고 내가 다가가 묻자 그는 말없이 시어머님으로부터 받은 메시지를 보여주었다.

'어젯밤에 할머니가 돌아가셨다.'

나는 그저 멍한 채로 눈물을 흘리는 남편의 등을 어루만져 줄 뿐 아무 말도 할 수 없었다. 조금만 더 한국에 있을 걸. 아니, 그냥 오지 말걸. 이런 자책감만 들었고 한국에 계신 가족들에게 죄송한 마음만 들었다. 바로 한국으로 돌아가고 싶었지만 비싼 비행기 값과 비자 문제 때문에 그것도 쉽지 않았다. 그래도 자식 된 도리에 가는 것이 맞다 생각해 일주일 만에 다시 짐을 꾸리며 가겠다고 말씀드렸지만, 시부모님은 몇 번이고 전화를 하셔서는 오지 말라고 거듭 말씀하셨다. 결국 시부모님과의 몇 차례 실랑이 후 우리는 더블린에 남아있기로 했다.

더블린의 처음은 죄책감과 후회로 가득했다. 멀리 있어 어쩔 수 없다고 합리화해보았지만 그래도 미안함은 지워지지 않는다는 것을 우리는 아일랜드에서 처음으로 배웠다. 자유를 원하면 그에 따르는 책임도 져야 하듯, 먼 타국에 살면 한국과 연결된 많은 것들을 포기해야 한다는 것도 알게 됐다.

우리는 여기에 있다. 있어야 한다. 가족들에 대한 그 미안함을 안고 여기서 더 열심히 살아야지, 더 많이 이뤄내야지 하고 애써 다짐하며 우리는 다시 더블린의 일상으로 천천히 돌아갔다.

📍 노을 지는 더블린 거리. 이국적인 풍경이지만 무작정 떠난 우리에겐 외로운 풍경이었다.

📍 우리가 더블린에서 묵었던 집.

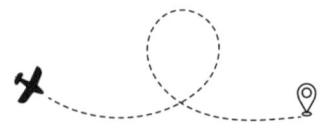

쫄지 말고 당당하게!
눈치 볼 필요 없어

'Only matter of time.' (그저 시간의 문제일 뿐.)

시간이 지나면 낯선 곳도 더 이상 낯설지 않게 된다. 새로운 것에 적응이 느린 나도 2주가 지나니 눈에 익은 풍경들이 생겼고, 한 달이 지나니 문득문득 내 마음에 밀려오던 낯설고 외롭다는 느낌도 사라졌다. 출근 도장 찍듯 빠짐없이 출석했던 어학원도 하루쯤 결석할 만큼 여유도 생겼다. 하지만 시간이 지나도 익숙해지지 않는 것이 하나 있었는데, 그건 바로 아일랜드의 '눈치 안 보는 사람들'이었다.

아일랜드 더블린에서 만난 진정한 '마이 웨이' 인생들. 나는 그들을 보며 타인의 시선을 신경 쓰는 나와는 너무 다른 모습에 처음엔 놀랐다가, 조금 지나니 그들이 부러워졌고, 나중에는 삶을 대하는 그들의 태도를 배우고 싶어졌다.

'눈치 안 보는 삶'을 사는 그들은 아이리시(아일랜드인)가 아니다. 알고 지내던 아이리시가 없어 잘 모르는데, 내가 말하고 싶은 그들은 바로 브라질리언들이다. 브라질의 국가적인 경제 위기로 수많은 브라질리언들이 유럽, 미국 등으로 잠깐 일자리를 찾아가거나 이민을 갔다고 한다. 그중 아일랜드로 오는 이들도 많았다. 유럽에 있는 영어권 국가인데도 학원비나 생활물가가 상대적으로 저렴하며, 학생비자로 주 20시간(사실 이 시간을 넘겨 일하는 사람이 대부분이라고 한다)이나 일을 할 수 있기 때문이다.

이러한 이유로 아일랜드 어학원에 있는 대다수의 외국인이 브라질리언이며, 어느 학원이든 한 반에 절반은 그들이 차지한다. 그래서 아일랜드의 수많은 어학원 후기에는 이들에 대한 각오를 하고 오라는 글이 자주 보였다. '겸손함'과 '나대지 않기'를 최고의 미덕으로 배우며 웬만한 상황에서는 말을 아끼는 아시안과는 달리, 그들은 엄청난 말의 양과 빠른 속도로 수업 오디오의 70퍼센트가량을 차지해버린다. 그래서 그들을 피하기 위해 국적 비율이 다양한 하이프라이스-하이퀄리티 어학원으로 가는 분들도 있다고 했다.

하지만 우리는 돈이 없었다. 무조건 저렴한 학원이 최우선 순위였던 우리는 국적 비율은 생각할 겨를도 없었다. 그래서 이미 학원에 잔뜩 있을 브라질리언들을 각오하고 있었다.

어학원 첫날. 배정된 반은 나와 스페인 남자를 제외한 5명이 브라질리언이었다. 어느 정도 예상은 했지만 정말 이럴 줄이야! 첫날 1교시부터 나는 그들의 엄청난 발화량과 말 속도에 기가 죽었다. 왜 소심한 나를 이들과 같은 반에 넣었나. 괜히 배정 담당 선생님을 원망했다. 그들은 모두 나이스 했지만, 나는 그들의 발음과 속도를 당최 알아들을 수 없었다. 아무리 집중해도 그들의 영어는 영어로 들리지 않았다. 자세히 들어 보면 분명 영어인 것 같은데 포르투갈어를 쓰나 하는 착각이 들 정도였다(나중에 알고 보니 브라질리언들은 영어와 포르투갈어를 살짝 섞어 쓰고 있었다). 결국 나는 수업 시간에 거의 아이리시 선생님의 말만 듣고 내 할 말만 겨우 할 수 있었다.

내가 말을 할 차례에 어쩌다 네 문장 이상을 얘기하고 있으면 혼자 마이크를 오래 잡고 있다는 민망함에 'Sorry'를 외쳤던 나와 달리, 그들은 한번 입을 뗐다 하면 멈출 줄 몰랐다. 물론 내가 살짝 짜증이 난 것은 내가 말할 기회를 자주, 그리고 오래 뺏겼다는 것도 있었지만 그들이 하는 영어의 80%는 못 알아들었기 때문이었다. 클래스의 70%를 차지하는 브

라질리언들인데, 그들의 영어를 못 알아들으니 내가 수업에서 얻어갈 수 있는 것이 없겠다고 생각했다, 처음엔.

'남의 눈치를 안 본다.' 이 말이 오해를 불러일으킬 수 있지만, 브라질리언들이 무례하다는 것은 결코 아니다. 내가 만난 그들은 하나같이 친절했고 무언가를 물어보면 정말 열심히 알려주려고 애써 주었다(물론 절반은 못 알아들었지만). 모든 브라질리언들이 수다맨인 것도 아니었다. 그들 중에도 선생님이 '너의 차례야'라고 지목해야만 겨우 말을 하는 이들도 있었다.

그들의 기에 눌린 첫 이틀이 지나자 나는 이대로는 안 되겠다 싶었다. '이 학원에 돈을 얼마를 냈는데.' 이렇게 생각하며 혼자 다짐을 했다. 그들에게 밀리지 않고, 내 몫의 시간 동안 충분히 이야기를 하며, 한 번 입을 떼면 최소 다섯 문장은 말해보기로 말이다. 그렇게 마음먹고 나름 공격적인 태세로 전환한 지 3일 차가 되었을 때, 1교시 수업 중 Home과 Garden에 대한 얘기가 나왔다. 다들 일하는 친구들이라 피곤한지 아무도 말을 꺼내지 않았는데, 평소에도 가장 말이 많은 하는 브라질리언 여자 친구가 갑자기 본인의 어린 시절 이야기를 풀어놓기 시작했다.

그녀는 어릴 적 여동생과 옷을 벗고 마당에서 물놀이를 하며 놀았던 얘기를 하는데, 자기 흥에 못 이겼는지 이야기를 하는 도중 몇 번이나 일어나서 춤을 추는 것이 아닌가! 대다수의 친구들은 늘 보는 풍경이라는 듯 아무 표정이 없었지만, 내게는 처음 접하는 놀라운 풍경이었다. 남자인 학원 선생님은 그의 이야기를 받아주며 자기도 그런 적 있다고, 근데 옷을 벗으니 이웃집이 좋아하지 않았다고 했다. 그런데 그 친구는 선생님의 말에 "What is he f***ing doing?"이라고 말하며 그 이웃을 흉내 내는 게 아닌가.

아마 그때였을 것이다. '아, 나는 내가 생각하는 것보다 훨씬 소심한 사람이구나. 남의 눈치를 많이 보며 살고 있구나.'

하는 생각이 들었던 건. 그 시간 이후, 나는 수업 시간을 점점 즐기기 시작했다. '특별하지 않은 예시나 스토리는 굳이 말해봐야 무슨 소용이 있을까?' '아까운 수업 시간을 낭비하면 안 된다.' 이렇게 생각하며 말을 아꼈던 나는, 재미 같은 것에는 상관하지 않고 시시콜콜한 내 이야기를 조금씩 풀어놓기 시작했다.

브라질리언들은 문법적으로는 완벽하지 않아도 대부분 말을 잘한다. 하지만 '저걸 도대체 왜 물어보는 거지?' 하는 의문이 드는 것을 물어볼 때도 있다. '어렵지 않은 것은 굳이 물어보지 않고 혼자 해결한다.' 이런 태도가 한국에서부터 몸에 익었던 나는 웬만한 것은 물어보지 않았었는데, 그 시간 이후로는 누가 바보라고 생각하든 말든 조금만 모르고, 헷갈리는 것이 있어도 바로 선생님에게 질문하기 시작했다. 그렇게 나는 '쓸데없이 눈치를 많이 보는 나'를 조금씩 벗겨냈다.

나이가 들면서 어느 정도 소심함을 떨쳐버렸다고 자부했을 때 나는 완전히 새로운 세상에 던져졌고, 소심함과는 정반대의 성향을 가진 사람들을 만나 내가 여전히 소심하다는 것을 알게 됐다. 어쩌면 그 소심함은 나 스스로에 대한 자신감 부족에서 비롯된 것일지도 모른다.

'결혼을 했는데 왜 쓸데없이 모험을 하니? 애는 언제 낳으려고 그래.'

'남들처럼 살아라. 어렵게 가진 것들을 다 버리면 분명 후회할 거야.'

'해외로 간다고 해서 성공한다고 확신해? 그냥 돈만 쓰고 시간만 낭비하는 꼴이다.'

'너희 나이가 몇인데 인제 와서……. 그런 건 대학생 때 다 했었어야지! 지금은 늦었어.'

솔직히 말해, 우리가 반드시 해외에 나가야 하는 이유가 있는 것도 아니었고, 미친 듯이 이루고 싶은 꿈이 있는 것도 아니었다. 그저 '지금이 아니면 어쩌면 기회가 없을지도 몰라.' 하는 다소는 막연한 생각에 무작정 떠나와 버린 아일랜드. 그랬기에 부모님의 이런 질문에 자신만만하고 명확한 답을 할 수 없었던 것인지도 모른다. 나와 내 인생에 확신이 없었기 때문에 나는 점점 자신감을 잃어 갔고, 이곳 어학원에서도 '직업도 꿈도 없고 나이도 많은데 스피킹도 잘 못하니 그냥 조용히 있자.' 하고 생각해 버렸는지도 모른다.

언젠가 자신의 인생에 대해 파트너와 얘기하는 시간이 있었다. 나는 아프로 머리가 인상적이었던 브라질리언과 짝이 되었는데, 내가 "나는 나이가 많아, 어쩌고저쩌고"라고 말을 시작하니 그녀는 놀란 토끼 눈을 뜨며 말했다. "무슨 소리야. 너 나이 많은 거 전혀 아니야! 뭐든지 할 수 있어. 넌 충분히 어려!"

그녀는 내가 불쌍해 보였는지 평소보다 더 힘을 주어 얘기했다. 그래. 나는 늦은 나이가 아니다. 인터넷에 떠도는 동기부여 문구처럼, 내가 못 하는 것은 오직 키즈 모델밖에 없다!

처음에는 '학원 돈 아깝다.' 하는 생각이 들게 만들었던 아일랜드의 브라질리언들. 그들은 내가 자신감이 없어질 때면 든든한 멘토가 되어 주곤 했다. 그들은 그 어떤 유명한 사람들의 유튜브 강의보다 내 인생에 큰 변화를 가져다주었다. 남의 눈치는 전혀 보지 않고 당당하게 자신의 삶을 살아가는 자신감 넘치는 그들의 삶의 태도를 아직도 나는 생생하게 기억하고, 자신감이 없어지려 할 때마다 그들을 떠올린다.

하나뿐인 내 인생. 내가 가장 아끼고 사랑하는 나. 쫄지 마, 눈치 볼 필요 없어!

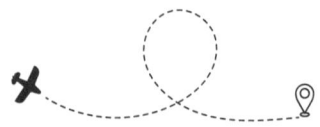

더블린에서의
첫 일은 호텔 청소부

아일랜드 초기 정착은 쉽지 않았다. 여러 단계를 게임 퀘스트 깨듯 하나씩 넘어야하는데, 그 중 0순위는 IRP Ireland Residence Permit라는 아일랜드 거주 허가증을 받는 것이다. 입국일부터 90일 이내로 반드시 받아야 하고, 못 받은 채 기한이 넘어가면 불법 체류자가 된다. '어학원에 돈을 내고 입국을 했으니 쉽게 받을 수 있겠지.' 하고 생각한다면 그건 착각이다. 우리도 착각했다. 웬만한 것들은 하루 만에 처리가되는 한국의 행정 처리 수준만큼은 아니겠지만 그래도 합법적으로 들어갔는데 뭐가 어렵겠냐며 코웃음을 쳤다. 그러나 아일랜드는 결코 만만하지 않았다.

온라인으로 잡아야 하는 IRP 신청 방문 예약은 대학교 수강신청보다도 어려웠다. 우리만 바보인가 싶었는데 어학원 친구들 모두가 같은 고충을 토로했다. 그래도 포기하지만 않으면 결국 성공하는 법. 수도 없는 실패에 마음 졸이며 저녁을 먹으려던 찰나, '띵!' 경쾌한 소리와 함께 빈자리가 나왔고, 마침 아이패드로 신청 화면을 켜놓고 있던 나는 뇌보다 빠르게 움직인 손가락 덕분에 예약을 잡을 수 있었다. 그렇게 우리는 더블린에 온 지 50일 만에 드디어 합법적으로 일할 수 있는 비자인 IRP를 받았다.

잔고가 급격하게 줄어가던 우리는 IRP를 받자마자 먼저 면접을 봤던 호텔에 이메일을 보냈다. 이제 비자를 받았으니 일을 시작할 수 있다고. 얼른 일을 하고 싶다고. 그 호텔은 사람이 급했는지 당장 이번 주부터 일을 할 수 있겠냐고 물었다.

'Of course!'

청소일은 처음입니다만

우리 부부가 함께 지원했던 포지션은 바로 Accommodation assistant. 호텔 객실을 청소하는 일이었다. 워킹홀리데이를 하러 온 친구들이 지원하는 서버, 판매원 등의 일을 못 잡을 정도로 영어를 못하는 것은 아니었고, 강도 높은 육체노동으로 단련된 튼튼한 체력이 있는 것도 아니었다. 30년 가까이 온실 속의 화초로 자란 우리는 왜, 호텔 청소 업무에 지원했을까? 이에는 두 가지 이유가 있었다.

첫 번째, 사람 스트레스 없는 근무 환경.

다양한 경험을 원하고 모험을 즐기고 싶어 하는 나와는 달리 내 몸은 점점 새로운 환경에 대한 적응이 느려지고 있었다. 아일랜드에 가서도 몸이 완전히 적응하는 데만 약 한 달이 걸렸다. 아일랜드에서 지내는 동안 영어 공부, 일, 여행, 다음 목적지 등등 균형을 맞춰야 하는데, 그중 일에서 너무 큰 스트레스를 받고 싶지 않았다.

극 내향형인 내게 가장 큰 스트레스 요인은 사람이었다. 나는 여러 사람들과 어울리거나 함께 일하기보단 혼자 일하는 것을 선호하는데, 심지어 유창하지도 않은 영어로 대화하며 어울려야 한다는 사실이 그 생각 자체만으로도 괴로웠다. 그런데 호텔 하우스키핑은 일정 기간 트레이닝을 거치면 배정받은 방을 혼자서 청소를 하는 것이다 보니 사람 스트레스가 거의 없다고 했다. 그래서 '좋아, 일단 해보자!'라며 패기 넘치게 시작했다.

두 번째는 돈.

우리가 더블린에 있었던 2021년, 아일랜드의 최저시급은 10.2유로였다. 보통 워홀러들이 구하는 일인 레스토랑이나 카페는 최저시급 내외다. 하지만 강도 높은 육체노동인 호텔 하우스키핑은 못해도 11유로를 받는다. 우리 부부가 지원한 곳은 시급이 12유로인 데다 시간제여서 더욱 괜찮았다(보통 호텔 하우스키핑은 청소한 방의 개수로 계산하는 성과제인 곳이 많다). 담당 매니저에게 물어보니 최소 주 20시간은 보장해줄 수 있다고 했다. 게다가 40시간 풀로 일할 수 있는 주간(아일랜드 정부가 인정한 주간)에는 풀타임 근무를 할 수 있냐고 오히려 물어봤던 것을 보면 근무 시간을 절대 줄일 것 같진 않았다. 주 20시간만 일해도 부부 합산 최소 월 250만 원은 벌 수 있다는 계산이 나왔다. 이 정도면 우리가 계획한 유럽 여행을 가고도 남았다. 그리고 여기에 더해 급여를 매주 목요일마다 받는 주급제라는 것 또한 마음에 들었다.

청소일, 아니 이거 생각보다……

트레이닝은 2주. 원래 1주일이지만 우리는 주말에만 풀타임이 가능해서 짧고 굵게 주말 4일 해서 총 2주 동안 트레이닝을 받기로 했다. 청소일은 생전 처음이라 왠지 떨리기도 했다. 그리고 대망의 첫날, 우리는 각자의 일일 튜터와 함께 7시간 정도를 일했다. 베드 메이킹(침대 정리), 욕실 청소, 청소기 돌리기 등 일은 어렵지 않았다. 뭔가를 배우는 데 시간이 꽤 걸리는 나도 금방 배운 것을 보면 정말 누구나 할 수 있는 쉬운 일인 듯했다. 심지어 베드 메이킹은 재밌기도 했다. 가장 힘들고 시간 잡아먹는 일이 베드 메이킹이라고 하는데(물론 그건 맞는 말이다), 시트를 쫙쫙 당겨 깨끗하고 예쁜 베드를 만들었을 때, 온전히 나 혼자 만든 베드를 보고 튜터가 '퍼펙트'를 외칠 때, 그 순간은 희열을 느낄 정도였다.

'이게 바로 노동에 대한 보람인가?'

'아니, 청소 일이 재미있을 줄이야.'

29년 인생살이, 평생 고강도 노동을 해보지 않고 살아온 온실 속 화초인 나에게, 호텔 청소부였던 그 시간은 꽤나 의미 있는 경험이었다.

하지만 문제는 체력이었다. 운동을 전혀 안 하는 29.99999세의 우리 부부는 체력이 훅 간 지 꽤 되었고, 오전과 밥 먹은 직후까지는 괜찮았지만 오후 2시부터 정신이 아득해지기 시작했다. 가끔 휴대폰을 보면 '어지럽다'고 하는 남편의 톡이 와 있었고, 나 역시 고개를 끄덕이며 남편의 말에 공감하고 있었다. 힘겹게 끝난 첫날, 부서진 것 같은 몸을 붙잡고 '재밌지만 힘들다. 힘들지만 재밌다'를 속으로 반복하며 집으로 갔다. 그리고 다음 날인 트레이닝 둘째 날도 어김없이 가장 어려운 베드메이킹만 실컷 했고, 일을 하면서도 퇴근 후 집으로 가면서도 앵무새마냥 반복했다. '힘들지만 재밌다. 재밌지만 너무 힘들다.'

살면서 이렇게 장단점이 극명한 일은 처음이었다. 혼자 일하니 사람 스트레스가 없다는 것, 그래서 마음 편하게 돈을 더 벌 수 있다는 점은 분명 확실한 장점이었다. 하지만 말없이 우직하게 몸을 움직이는 일이라 '영어도 안 쓰는 이 일을 하려고 비싼 렌트비까지 내며 여기 살고 있나?' 하는 의문이 계속 들기도 했다. 게다가 나처럼 체력이 약한 사람은 가벼운 영어 공부와도 병행하기 힘들 정도로 강도가 셌다. 트레이닝 후 정식 출근을 시작하면 부담이 클 것 같았다.

결국 겨우 이틀 일했는데 체력이 바닥나고 말았다. 20대 초중반에는 밤을 새워도 멀쩡했는데, 20대 후반의 우리는 너무나 나약했다. 이 일은 오래 못하겠다 싶었다. 하지만 돈이 없으니 바로 그만두지는 못했고, 다른 일자리에 이력서를 돌리며 다음 일을 찾기로 했다. 생각보다 다른 일은 쉽게 구해졌고, 하우스키핑 잡은 결국 그만뒀다.

저질 체력 때문에 아쉽게 그만두긴 했어도, 호텔 청소 일은 나에게 아주 값진 경험으로 남아있다. 어려운 일 한 번 안 해보고 자란 나는 돈 무서운 것도 모르고 살 만큼 철부지였다. 그런데 이 일을 짧게나마 해보고 나서 직접 노동으로 번 돈의 가치를 깨달을 수 있었다. 노동으로 번 돈이란 얼마나 숭고한 것인가, 그걸 이 나이를 먹고서야 온몸으로 알게 된 것이다. 또한 게으름과 여유로움에 익숙해져 있던 나는 이 일로 노동의 희열을 맛보았고, 해외에 있을 때만큼은 비자가 허락하는 한 반드시 '직접 노동'을 하자고 마음먹은 계기가 되었다.

그래, 이렇게 세상에 나를 던져봐야 한다. 아일랜드에 오길 참 잘했다. 늦은 나이지만 익숙지 않은 환경과 익숙지 않은 일에 스스로를 내던져 놓고 꾸역꾸역 살아가는 나 자신이 너무 좋았다. 늘 '못하겠다'를 입에 달고, 해왔던 일만 주야장천 해 온 내가 변했음을 느꼈던 때다. 남편도 기특했다. 지금도 그렇지만 아마 우리는 더블린에서 있었던 일들을 웃으며 평생 동안 얘기할 것 같다. 또 언젠간 태어날 우리의 아이에게도 자신 있게 말해줄 수 있으리라.

"뭐든 용기 내서 해봐! 더 넓은 세상으로 가봐! 엄마랑 아빠가 항상 뒤에 있을게!"

생각보다 재밌었고, 생각보다 더 힘들었던 호텔 하우스키핑. 그 어떤 일보다도 많은 생각과 복잡 미묘한 감정을 줬던 청소일. 세상의 모든 청소노동자들에게 경의를 표하고 싶다.

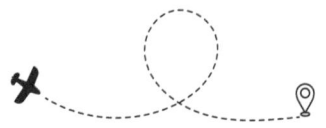

원하는 삶을 살 자유,
그것에 대한 책임

"해외로 가신다고 들었는데, 주재원으로 가시는 건가요?"

2년 동안 살던 신혼집은 세를 줬는데, 계약할 때 부동산에서 만난 세입자분이 이렇게 물어보셨다. 아이는 없지만, 결혼한 지 얼마 안 된 부부가 해외에 간다고 하면 보통 주재원이나 최소 대학원이 그 나이에 맞는, 사회적 계단에 거스르지 않는 과정일 것이다. 그런데 우리는 한 단계씩 커리어를 쌓으며 나아갈 시기에 고작 어학연수를 하러 먼 유럽까지 갔다.

아일랜드에 와서는 자극을 많이 받았다. 그리고 나를 더 알아갈 수 있었다. 낯선 세상에 내던져지기 전의 내가 얼마나 게을렀는지, 얼마나 소심했는지, 그리고 얼마나 현실의 세상을 몰랐었는지를. 무언가 하나씩 깨달으며 이전과는 다른 일들을 해보며 변하려고 노력했다. 혼자 있는데도 "오길 참 잘했다"라고 괜히 소리 내어 말해보고, 더블린의 좋은 점을 블로그에 부지런히 올리며 해외 생활에 관심 있는 분들과 소통하기도 했다.

하지만 어쩔 수 없는 불안이 있었다. 그리고 불안은 일이 잘 풀리지 않을 때마다 꼬리에 꼬리를 물고 올라왔다. 비자는 받았지만 실물 카드는 몇 주가 지나도 집으로 오지 않았고, 실물 카드가 오지 않으니 서류 충족이 안 되어 PPSN Personal Public Service Number · 개인공공서비스번호로 이 번호가 없으면 급여의 50%밖에 받지 못한다도 신청하지 못하고, PPSN이 없어도 할 수 있는 일만 찾으려니 괜찮은 일은 없었다. 이럴 때마다 나는 괜히 울컥해서 남편에게 화풀이를 하기도 했다. 지금 와 생각해보면 그렇게 스트레스받을 일도 아니었는데 낯선 타국에서는 웃으며 넘길 수 있는 일도 그냥 보내지 못할 때가 많으니까 그랬던 것 같다. 내가 유독 겁이 많은 성격이라 쉽게 불안을 느끼는 것일 수도 있지만.

어학원에 가기 위해 아침에 버스를 타면 출근 중인 우리 또래의 아이리시들과 아일랜드에 오래 산 듯한 외국인들을 본다. 평범한 일상을 살아가는 그들을 보면 괜스레 마음이 복

📍 아일랜드에 와서 나는 내가 그동안 얼마나 소심하고 철부지처럼 살아왔는지를 깨달을 수 있었다. 하지만 결코 후회하지는 않는다. 실행하지 않았다면 나는 지금 더 후회하고 있을 것임을 알고 있다. 나는 이제 두려움을 설렘으로 바꾸는 방법을 알고 있다.

📍 더블린이라는 낯선 도시, 그곳에서의 생활은 불안했다. 한국에서의 안락한 삶이 그리웠던 것도 사실이다. 그렇지만 한 번쯤은 나와 맞는 삶을 찾기 위한 도전을 해봐야 하지 않을까. 이렇게 스스로를 위로하며 버텼다. 다행스럽게도 시간이 흘러 불안함은 사라졌고, 역시 오기를 잘했다는 생각이 들었다.

잡해지곤 했다.

'우리도 한국에 있었다면, 불안하진 않았을까?'

'어쩌다가 이 머나먼 아일랜드까지 어학연수를 온 거지?'

'너무 준비가 안 된 상태로 도피성으로 온 것은 아닐까?'

한 번 시작된 우울은 쉽게 사라지지 않았고, 계속 머릿속에서 반복되었다. 그리고 이내 부모님이 우려하셨던, 객관적인 우리의 모습이 보였다. 더블린에 온 지 3개월이나 되었는데 아직 PPSN 조차 없어 돈도 못 모으는, 30대에 제대로 된 일도 안 하고 어학원에서 어린 친구들과 그저 영어 공부를 하기 위해 화장실이 딸린 방 한 칸에 월 130만 원이 넘는 월세를 내고 있다. 그저 세상의 '경험비'라고 하기에는 조금 비싼가 싶은 생각도 들었다.

한동안 더블린에서 그런 불안을 안고 살았던 적이 있었다. 주위에 제대로 된 편의점 하나 없는 유럽의 오래된 집, 삐걱거리는 바닥을 밟을 때마다 한국의 깨끗하고 넓은 아파트가 몹시 그리웠다. 사실 집 자체보다는 한국에 놓고 온 안락한 삶이 아쉬웠던 것이었을지도 모르겠다.

무적의 철밥통 '한국의 공무원'이라는 직업을 내려놓고, 또 다른 도약과 '공포의 서른이 되기 전에 일단 시작하기'를 이루기 위해 학생비자로 영국 옆 작은 섬, 아일랜드까지 갔다. '한국에 있었으면 편했을 것을⋯⋯' 하는 생각을 들게 하는 낯선 것들과 충돌할 때면 우리는 불안을 지워내려 크리스마스와 신년에 갈 유럽 여행 계획을 멋대로 짜 보곤 했다.

비자 문제가 해결되지 않아 블로그에 아일랜드에 대한 부정적인 글을 한창 올리던 시기, 우리는 더블린에 자리 잡는 것도 이렇게 힘든데, 앞으로 해외에서 잘 살아남을 수 있을 것인가에 대해 많은 대화를 나누었다. 그러다 보면 '만약 그만두지 않고 한국에 살았더라면⋯⋯'이라는 가정을 자연스럽게 하게 되었는데 결론은 결국 하나로 모아졌다.

우리가 스스로 선택한 일에 대해서도 이렇게 걱정을 하고 불만을 가진다면, 우리가 선택하고 싶지 않은 것들을 참으며 억지로 했을 때 드는 마음은 백배 천배 더 지옥이었을 거라고.

'자유에는 책임이 따른다.'

'도전에 늦은 나이란 없다.'

'나이는 그저 숫자에 불과하다.'

'한 번뿐인 인생, 네 맘대로 살아라!'

먼저 원하는 삶을 찾으러 뛰어든 사람들이 말한다. 인생은 한 번이라고, 당장 일을 그만두고 떠나라고. 그래도 된다고. 우리는 정말 그렇게 했다. 그리고 길지 않은 시간에 바로 '책임'이라는 말과 맞닥뜨렸다. 나와 맞는 인생을 찾아볼 자유, 원하는 것을 찾아 헤맬 자유는 누구에게나 있다. 어떻게 살 것인가에 대한 결정도 오롯이 본인의 몫이다. 그리고 동시에 그에 대한 책임도 스스로가 감당해야 한다. 세상 탓을 할 수도, 그 누구의 잘못으로도 돌릴 수 없다.

아일랜드에서 밀려오는 불안을 빨리 없애려고 무언가를 하지는 않았다. 울고 싶을 땐 울었고, 생각하고 싶지 않을 때는 가까운 곳으로 여행을 떠났다. 결국 시간이 지나 문제들이 하나씩 해결되면서 불안은 자연스럽게 줄어들었다. 아무 일 없었다는 듯이 일상으로 돌아가고, 좋은 것을 볼 때마다 '참 오길 잘했어.' 하는 생각도 들었다. 그리고 한국을 떠날 결심을 할 때의 우리를 떠올려본다.

아일랜드로 떠나기 전, 부모님과의 갈등이 한창일 때 나는 블로그에 이런 글을 적었다.

'가진 것을 놓는 것은 무섭고 두려운 일이지만, 그 두려움보단 우리에게 들어올 새로운 것들에 대한 설렘이 더 크다. 새로운 공기, 새로운 사람들, 새로운 세상을 보며 우리의 세계를 알록달록한 경험으로 겹겹이 쌓아가자.'

당연한 말이지만 자유에는 책임이 따른다. 우리는 우리가 원하는 삶을 찾기 위해 리스크가 높은 삶을 선택했고, 오롯이 감당해야 하는 불확실성과 불안정성이 자연스레 따라왔다. 그리고 그 모든 것은 온전히 우리의 몫이었다. 처음에도 그랬고, 처음보다는 나아졌지만 지금도 여전히 그리고 앞으로도 아마 이럴 것이다.

　해외에서는 언제나 이방인이라는 불안, 남들처럼 살지 않고 방랑자 생활을 하고 있다는 불안. 잊을 만하면 한 번씩 찾아오는 미래에 대한 막연한 불안도 시간이 지나니 점차 익숙해졌다. 앞으로도 우리는 이 '자유에 대한 책임'을 안고 살아가야 한다. 그저 시간이 지날수록 불안을 감당하는 마음이 더욱 단단해지길. 그래서 무슨 일이 생기든 무사히 넘기기를 바랄 뿐이다.

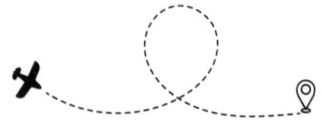

아이스크림 매장에서
일하며 얻은 자신감

아일랜드 생활을 시작한 지 70일쯤 되었을 때, 마침내 비자를 받고 크리스마스를 전후해 덴마크 여행을 다녀왔다. 그때까지도 비자가 없어 확실한 일자리를 구하지 못한 상태였는데, 여행이 끝나고 늦어도 1월 첫째 주 안에는 파트타임 잡을 구해야 했다. 다만 괜찮은 일자리가 몰려있는 시티와는 조금 떨어진 곳에 집을 구한 탓에 쉽지만은 않았다. 호텔 청소일 이후 면접은 4번, 트라이얼(채용 전 짧게 일하는 것)은 1번을 했고, 모두 합격은 했지만 전부 집과 거리가 멀어서 포기했다.

점점 초조해졌다. 조건에 맞는 일이 없는데 잔고는 바닥을 드러내고 있었다. 더 지체하다간 한국 통장의 돈을 끌어다 생활비로 충당해야 하는 상황이었다. 그러다 장을 보러 집 근처 쇼핑몰에 갔는데, 괜찮은 채용 공고를 발견했다. 그라운드 층에 있는 키오스크 매대(아이스크림, 커피, 크레페 등 디저트류 판매하는 곳)에 붙어있는 'Hiring' 사인!

카페 경력자나 풀타임이 우선이었지만 카페 경험 없는 파트타이머도 지원 가능하다고 적혀 있었다. 일단 공고 사진을 찍어놓고 집에 와서는 우리 둘 중 누가 지원해볼까 고민했다. 남편은 아무래도 핑크색 유니폼은 못 입을 것 같다고 선언하는 바람에 내가 지원하기로 했다. 나는 바로 그날 저녁 일을 하고 싶다는 이메일을 보냈다. 다행히 사람이 급했는지 바로 다음 날 아침, 학원 가는 길에 면접 보러 오라는 답장을 받았다. 그날 오후, 베로니카라는 이름의 체코인 매니저와 매장 옆에서 대화에 가까웠던 짧은 면접을 봤고, 그다음 날로 트라이얼을 잡았다.

트라이얼은 근무지마다 다르지만 보통 짧게는 두 시간, 길게는 5시간 정도로 진행된다. 유급과 무급이 있는데 아쉽게도 그 매장의 트라이얼은 무급이었다. 무려 4시간 동안 일했는데, 싫지는 않았다. 차가워 보였던 첫 인상과는 달리 상냥하고 유머 넘치는 매니저와 이런 저런 얘기를 하는 것이 대부분이었다.

무엇보다 좋았던 것은 귀여운 손님들이었다. 저 멀리서부터 'Ice Cream!' 하고 소리치며 뛰어와서는 엄마를 졸라 아이스크림을 얻어내는 귀여운 아이들, 크레페를 만드는 동안 앞에서 초롱초롱한 눈으로 쳐다보고 있다가 받고서는 엄지를 치켜올리는 손님들, 핑크빛 유니폼과 놀이공원의 가판대 같은 귀여운 매대 분위기까지. 지금껏 해본 그 어떤 일보다 첫 느낌이 좋았다. 얼른 일을 시작하고 싶다는 생각만 들었다. 그렇게 4시간의 트라이얼이 끝난 후, 매니저가 내게 조심스럽게 물어왔다.

"How do you feel? You still want this job?"(어때? 여기서 일하고 싶어?)

다행히 매니저는 빠릿빠릿하게 움직이는 나를 마음에 들어 했다. 지원자가 꽤 있었는데 왜 카페 경력도 없는 나를 뽑는지는 의문이었지만, 어쨌든 기회가 왔으니 바로 잡아야 했다. 나는 조금 과장해서 이곳에 뼈를 묻고 싶다는 듯이 대답했다. 그리고 이틀 뒤부터 본격적인 트레이닝을 시작하기로 했다.

일단 채용은 되었지만 첫 출근 전부터 걱정이 앞섰다. 무엇 하나를 진득하게 하지 못하는 나 자신을 알기에 '이번에는 오래 할 수 있을까?' 하는 의구심이 들었기 때문이다. 그러면서도 속으로 기도했다. '제발 내가 이번에는 포기하지 않았으면, 낯설고 힘든 처음의 감정을 제발 이겨내길.' 아마 그 아이스크림 가게가 상당히 마음에 들어서 끈기 없는 나를 더 걱정했던 것일지도 모르겠다.

트레이닝을 해준 매니저 베로니카는 친절함 그 자체였다. 유럽인 특유의 깐깐한 듯한 표정이 종종 보였지만 대부분 그녀는 상냥했고, 카페 일을 전혀 모르는 나를 위해 모든 업무를 천천히 그리고 자세히 알려주었다. 에스프레소 샷 하나 잘 뽑지도 못하는 나를 위해 몇 번이고 보여주고 다시 보여줬다. 주문이 들어오면 손님들께 "She's trainee"라고 말하면서 양해를 구했다. 레시피를 보면서 엉성한 손놀림으로 하나하나 만들어가니 아끼지 않고 칭찬을 하기도 했다. 그녀는 유치원 교사를 했어도 성공했을 것이다.

체코인이지만 아일랜드에서 10년째 살고 있는 그녀는 음료 제조 스킬뿐만 아니라 나의 부족한 영어를 코치해주기도 했다. 트레이닝을 하던 어느 날, 손님의 주문을 받은 나는 이렇게 물었다.

"Do you want a receipt?"

그러자 손님이 가시고 나서 베로니카는 다가와서 조심스럽게 말했다.

"Dahee. I don't want to be rude but, In that case, it's better say 'Would you like a receipt?', cause it sounds more polite." (다희. 무례하게 굴고 싶진 않지만, 그 때는 '영수증 드릴까요?'라고 말하는 것이 더 공손한 표현이야.)

가르치는 입장에서 그냥 편하게 얘기해도 될 텐데, 매니저는 손짓발짓 다 해가며 '이렇게 말해서 미안하다'는 의사를 내비쳤다. '이렇게 친절하게 말할 일인가?' 하고 속으로 생각했다. 체코에서 온 매니저 베로니카 그녀는 정말 친절했다.

서른 살, 유부녀, 알바생

'보통 이런 곳에 아르바이트를 하러 오는 친구들은 10대, 많아도 20대 중반인데, 나는 곧 서른 살이 되는 데다 심지어 결혼까지 했다. 일까지 못 해서 이 예쁜 곳의 늙다리 민폐 알바생이 될 수는 없다.'

아무도 신경 안 쓰는데 괜히 혼자 자격지심이 들었다. 동시에 영어도 완벽하지 않은 카페 무경력자인 나를 뽑아준 매니저에게 뭔가 보답 같은 것을 하고 싶다는 마음도 있었다. 그래서 어쩐지 전에 없던 일 욕심이 생겼다.

내 처지에 대한 압박감에 빠르게 적응해야 한다는 점이 효

과적으로 작용해서인지, 매니저의 훌륭한 트레이닝 덕분인지, 나는 다행히 업무를 빠르게 익혀나갔다. 출근 3일 차에는 마감을 포함한 오후 4시간을 내게 전부 맡기고 매니저는 유유히 퇴근을 해버렸다. "You're such a fast learner. I guess now you can work alone." 하고 말하며.

빨리 배운다. 이 칭찬을 듣고 나는 그렇게 혼자가 되었다. 한 명만 일해도 충분할 만큼 작은 매장이었고, 면접 때부터 '익숙해지면 혼자 일해야 한다'는 말을 들어 각오는 하고 있었다. 하지만 그 시기가 이렇게 빨리 올 줄이야! '나 혼자 잘해낼 수 있을까' 이런 생각을 할 여유는 없었다. 영어로 주문을 받고 손님들과 대화를 하며 모든 제품의 레시피를 외워야 했다.

평일은 크게 바쁘지 않지만, 3층에 키즈카페가 있는 쇼핑몰이라 주말에는 최소 세 번 정도 숨도 못 쉬게 바쁜 시간이 있다. 도와줄 사람 없이 혼자 모든 일을 처리해야 해서 압박감이 심하기도 했지만 부담보다는 재미가 컸다. 나는 아주 열심히 일했다. 민폐를 끼치고 싶지 않아 그런 것도 있었고, 아이들이 많이 오는 곳이라 더욱 활기차고 친절한 직원의 모습으로 보이고 싶은 마음도 있었다. 그곳에서의 내 모습은 흡

사 '친절한 카페 직원' NPC Non-player Character 같았다. 입에 경련이 일어날 듯 항상 웃고, 끝에는 'Have a good day'를 외치는!

달콤한 크레페 냄새가 나는 매장에서 오래 일하고 싶었던 걸까, 무엇을 하기도 전에 못 한다는 생각을 먼저 하던 부정적인 나에게 한 방 먹이고 싶었던 걸까. 누가 보고 있지도 않은데 나는 흠 잡을 데 없이 착실하게 일했다. 그래도 최선을 다하니 노력이 통했던 걸까, 제대로 일을 시작한 지 얼마 되지 않아 단골손님들이 나에 대한 칭찬을 꽤 많이 했다고 전해 들었다. 한국에서는 외국인과 영어로 대화 한 번 해본 적 없던 내가 외국에서 외국인 손님들을 영어로 상대하며 누구의 도움 없이 온전히 혼자 일을 하고 있다니. 스스로 참 기특하다고 생각했다.

스스로 모험가라고 생각하면서도 '서른 살이나 먹은 아줌마인데, 인생에서 이룬 것이 없네. 나는 대체 뭐 하고 살아왔던 거지?' 이런 생각으로 불안감이 들 때면 나 자신을 공격하기 일쑤였다. 애초에 서른 살이 되기 전에 반드시 해외로 나오려고 했던 것도 이런 마음이 밑바탕에 있었기 때문이었다.

하지만 한번 두려움을 깨고 나서니 달라졌다. '이건 반드시 해내야 해. 누가 봐도 정말 좋은 기회야'라는 생각에 두려움을

아이스크림 매장에서 일하며 나는 뭐든 할 수 있다는 자신감을 얻었다.

뒤로 하고 최선을 다하니 인정도 받게 됐다. 게다가 동료나 상사 없이도 외국에서 혼자 일할 수 있다는 자신감도 얻었다. 고작 더블린의 작은 아이스크림 가게 알바생일 뿐이었지만, 그곳에서 일하면서 나는 뭐든지 할 수 있겠다는 용기를 얻었다.

서른 살, 유부녀, 알바생.

내가 처한 객관적인 상황을 말해주는 이 3가지 키워드가 내 자존감을 깎아 먹고 있었나 보다. 아일랜드에서는 그 누구도 이런 것들에 대해 신경 쓰지도 않았는데, 그냥 나 혼자 괜한 걱정을 하고 있었던 것이었다. 하지만 이런 생각들은 새로운 도전과 함께 싹 사라졌다. 매일 '일 잘한다'라는 말을 들으며 매니저의 걱정을 덜어줬고, '비자가 끝날 때까지는 꼭 함께 일하자'는 말을 일할 때마다 들었다. 공시생 때부터 바닥까지 가라앉아있었던 나의 자존감은 그렇게 조금씩 끌어올려지고 있었다.

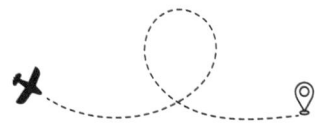

한밤중의 응급실행,
그런데 예약하고 오라고?

더블린에서의 100일이 지났다. 나는 동네 큰 쇼핑몰의 아이스크림 매장에서, 남편은 그 옆의 에디 로켓 Eddie's Rocket 이라는 아일랜드 유명 패밀리 레스토랑에서 일을 하며 공부를 했다. 우리의 일상도 어느 정도 자리를 잡고 서서히 안정을 찾아가고 있었다. 나는 늦어도 저녁 8시 전에 집에 왔지만 남편은 밤 10시가 넘는 시간에야 퇴근을 했다. 그가 오기 전까지 나는 혼자 방에서 공부를 하거나 블로그에 글을 쓰며 시간을 보내곤 했다.

그날도 여느 때와 다름없이 아르바이트를 끝내고 먼저 집에 와서 쉬고 있었다. 아침에 먹다가 남긴 떡볶이를 긁어 먹으며 남편을 기다렸다. 그런데 10시 반이 넘어가도 남편은 돌아오지 않았다. 전화를 해도 받지 않았다. 무슨 일이 생겼나? 마감이 늦어지는 건가? 별의별 걱정을 다 하고 있는데, 남편이 왼손 검지손가락을 오른손으로 꼬옥 감싸고 들어오는 것이었다.

"나, 조금 다쳤어."

아니, 이게 무슨 소린가? 남편의 얘기를 들어보니, 마감을 하다 날카로운 것에 베었는데, 손가락에서 피가 말 그대로 철철 났다고 했다. 동료들은 소리를 지르고 매니저는 바로 구급차를 부르려고 했지만, 남편은 그 순간에도 앰뷸런스는 비싸겠다 싶어 급한 마음에 같이 살던 하우스홀더(집에 거주하는 관리인 개념)에게 연락했다고 한다. 감사하게도 하우스홀더가 도보 10분 거리인 곳까지 차를 타고 데리러 가주었고, 남편은 피가 겨우 멈춘 손가락을 부여잡고 집으로 돌아왔다.

"왜 나한테 먼저 전화 안 했어!"

상황 파악이 된 나는 떡볶이를 먹다 말고 엉엉 울었다. 약간 원망이 섞인 어조로 물으니 그저 내가 너무 놀랄까봐 말을 안 했다고 했다. 기가 막혔지만 우선 남편의 손가락을 살리는 것이 먼저였다.

지혈을 하고 소독을 한 후 붕대로 감는 응급처치를 나름 했지만, 불안함이 가시지 않아 의대생인 남편 친구에게 바로 연락을 했다. 자세하게 찍은 상처 사진을 보내며 응급실에 갈

지 말지를 고민하고 있다고 했다. 그 친구는 '사진으로만 봐선 정확히 모르겠지만, 상처가 꽤 깊어 보이니 가는 것이 좋겠다'라고 답했다. 그때가 밤 12시 30분. 찾아보니 다행히 집 근처에 큰 병원이 있어 바로 택시를 불러 응급실로 향했다.

다친 손가락을 눌러 잡고 응급실에 들어갔다. 접수원이 "어디 다쳤냐"고 묻자 남편은 "손가락을 심하게 베었다"라고 말하며 불쌍한 표정과 함께 붕대를 살짝 풀어 보여줬다. 접수원은 왠지 '에게?' 하고 말하는 듯한 표정을 지었다. 그리고 "대기가 길어 아침까지 기다려야 할 수도 있다. 환자 본인만 안에 있을 수 있어 동반인은 밖에서 기다려야 한다"며 "내일 아침에 다시 와보는 것이 좋겠다"고 말했다.

대기자로 꽉 차 있던 응급실 대기실에는 머리에 피를 철철 흘리고 있던 사람도 있었다. 집에서는 상당히 심각해 보였던 남편의 손가락은 한없이 사소해 보였고, 우리는 조용히 집으로 돌아왔다.

"피는 안 나는데 통증이 간간이 있어!"

혹여나 손가락이 잘못될까 바스러지는 내 마음도 모르고 해맑게 말하며 웃는 남편. 거의 뜬 눈으로 밤을 새우고, 다음 날 날이 밝자마자 병원으로 향했다. 어제 갔던 그 병원에 다시 가볼까 했지만 어학원 친구들한테 물어보니 더블린 시티에 좋은 병원이 많다고 해서 우리는 바로 버스를 타고 시티로 갔다.

외국에서 응급실 가기

구글 지도에 'Emergency room'을 검색해 가장 가까운 곳부터 찾았는데, 'Rotunda'라는 이름의 병원이 있기에 곧바로 달려갔다. 여느 유럽 도시의 도서관처럼 생겼던 그곳은 아무리 봐도 병원처럼 생기지 않아 찾는데 한참이 걸렸지만, 그래도 도착하니 안도감이 들었다. 이제 치료를 받을 수 있겠구나 싶었다. 남편은 입구에 있는 접수원에게 다가가 "I cut my finger"라고 말하며 상처를 보여주었다. '병원에 왔으니 이제 괜찮다.' 다행이라고 생각한 순간 접수원이 말했다.

"손가락 다쳤네요. 그런데 여긴 산부인과에요. 저 위에 바로 응급실 있는데 거기로 가면 될 겁니다."

어쩐지. 그제야 정신을 차리고 대기 줄을 보니 전부 임산부들과 그들의 파트너였다. "하핫, 미안해요." 우리는 어색한 웃음을 지으며 접수원이 알려준 다른 응급실을 찾아갔다.

생각보다 멀어 20분 만에야 찾은 다음 병원. 'Emergency

room' 표시를 찾아 '여기다! 살았다'며 들어가서 치료를 원한다고 했다. 그런데 직원이 대뜸 몇 살이냐고 물었다. 의아해하며 28살이라고 했더니, 여기는 어린이 응급실이라며 어른들이 가는 응급실로 가라며 반대편을 가리켰다. 너무 지쳤다. 여전히 욱신거리는 통증이 있다는 남편 말에 그 자리에서 울고 싶었다. 그의 손가락이 어떻게 될까 너무 걱정이 되었다. 나의 나약함을 한 번 더 깨달은 순간이었다.

직원이 알려준 어른용 응급실로 거의 달리듯이 갔다. 약간의 시간 동안 대기를 한 후 손가락 상처를 들이밀었다. 직원은 "저 의자에 앉아서 잠깐 기다리세요." 하고 말했다. 이번엔 진짜다. 손가락이 어떻게 되기 전에 드디어 치료를 받는구나. 그렇게 10분쯤 지났을까, 아까 그 직원이 다가왔다. 차례가 왔구나 싶어 몸을 일으키는데 그 직원이 이렇게 말하는 것이었다.

"미안하지만 오늘은 예약 환자가 너무 많아서 치료가 어려워요. 예약하고 다시 오셔야 해요."

거긴 분명 응급실이었다. 응급실에 예약을 하고 오라니? 다칠 것을 어찌 미리 알고 예약을 한단 말인가. 화가 났다. 그 순간 미칠 듯이 한국이 그리웠다. 한국이었다면 어디에나 병원이 있고, 이 정도 손가락 치료는 일도 아니었을 텐데. 제발 누가 이 남자 손가락 좀 치료해줘!

그래도 친절하셨던 그 직원은 손가락을 부여잡은 남편이 불쌍해 보였는지 다른 병원을 알려주었고, 우리는 또 20분을 걸어가야만 했다. 거절을 많이 당해서 도착하기도 전에 미리 다른 병원을 검색하면서 갔다. 도착해서 접수원에게 '제발 치료해 줘!' 하는 간절한 눈빛을 보내며 왠지 더 깊게 벌어진 듯한 상처를 보여줬다. 다행히 직원은 지금 접수하고 올라가라고 했다. 드디어!

환자 본인만 들어올 수 있고, 한 시간 이상 걸릴 수 있다 해서 나는 근처 카페로 가 기다렸다. 다행히 한 시간도 되지 않아 남편은 무사히 치료를 받고 나왔다. 막상 보니 그렇게 심하진 않았다고 한다. 불안해하는 남편에게 의사는 꿰맬 필요도 없는 baby 단계의 상처라 했다. 그래서 저절로 녹는 '페이퍼 스티치'만 붙이고 붕대를 감았단다. 역시 우리는 어딜 가나 엄살이 심하다. 그래도 의사에게 치료를 받고나서야 나는 안심할 수 있었다.

아일랜드에서의 우리처럼 해외 생활에 익숙하지 않다면 특히, 한국과는 다른 의료시스템 때문에 스트레스가 많을 것이다. 결국 반나절 만에 치료를 하긴 했지만, 우리는 이 일을 계기로 '이곳을 떠날 때까지 누구하나 아프지 않도록 정말 조심 또 조심해야겠다.' 하고 다짐했다.

어디든 사람 사는 곳은 다 똑같다. 이렇게 말하지만, 어쩌다 마음 졸일 만큼의 사건과 맞닥뜨릴 때면 '그래도 한국에 가야지.' 하는 생각이 들었다. 하지만 이 또한 해외 생활을 선택한 우리가 감당할 일. 가고 싶다고 무작정 해외로 나갔다면, 그리고 남의 나라에서 살고 싶다면 웬만한 것은 무던히 견디고 익숙해지려 노력해야 한다.

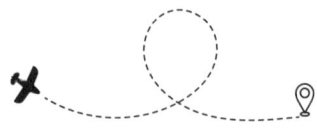

니하오,
하지만 저는 중국인이 아닙니다

아일랜드의 내 일터에서 나는 언제나 혼자였다. 가게에서는 아이스크림과 크레페, 슬러시, 커피 등 다양한 제품을 팔았지만, 매장이 작았기에 매니저와 나는 번갈아 가면서 근무를 했다. 더블린 쇼핑몰의 아이스크림 가게에서 혼자 일하는 동양인 여성. 특히 동양인을 보기 힘들었던 우리 동네에서는 조금 특이한 일이었겠다 싶다. 동료 없이 혼자 일해야 한다는 것을 알았을 때, 걱정도 있었지만 나는 오히려 좋았다. 사람 스트레스를 극도로 싫어해서 누군가와 같이 일하기보단 혼자 일하는 것을 선호하기 때문이다. 커피도 내리고 달달한 크레페도 만들면서 오롯이 혼자 손님들과 대화하며 일할 수 있다니! 게다가 그날의 팁은 모두 나의 것. 그야말로 완벽한 근무 환경이었다.

하지만 최적의 일터에도 문제는 있는 법. 일터의 문제라기보다는 서구권에 살 때 흔히 겪는 문제일 것이다. 그것은 바로 내가 한국인인지 중국인인지 물어보지도 않고 그냥 중국인으로 단정 짓고 행동하는 것. 더블린에도 중국인이 워낙 많아서 그런지 무작정 'Ni hao 니하오'와 'Xie xie 쎼쎼'를 뱉어버리는 손님들이 많았다. 어찌 보면 별것도 아닌데, 내 나라를 자랑스러워하는 한국인의 입장에서는 참 거슬렸다. 당장 생각나는 에피소드만 해도 서른 개는 넘지만, 대표적인 몇 가지만 공유해본다.

$$\approx$$

아마 매니저가 나를 혼자 두고 퇴근했던 첫날이었을 것이다. 그 쇼핑몰에는 가드가 꽤 많았는데, 그중 젊은 가드 한 명이 와서 슬러시 작은 컵을 주문했다. 아시안 여자가 일하고 있으니 무언가 흥미롭다는 표정을 짓고는 슬러시를 한 손에 들고, 합장하는 동작(태국의 인사법)과 함께 쎼쎼라고 했다.

손님이라면 그게 누구든 아낌없이 미소를 던지던 나는 순간 당황해 '헛' 하고 한쪽 입꼬리만 올렸다. 살짝 고민을 했다. '한국인이라고 말할까. 이 사람은 잘 모르겠으면 그냥 영어를 쓸 것이지, 왜 괜히 기분 나쁘게.' 하지만 바로 다음 손님이 와서 말은 못 했다. 그저 슬러시 빨대를 줄 때 조금 노려보기만 했을 뿐. 그는 그 뒤로도 자주 왔는데, 매니저인 베로니카한테 무슨 말을 들었는지 그 뒤로는 "Thank you, Cheers!"라고 했다.

≈

주문할 때부터 상당히 젠틀했던 중년의 남성분. 영국인인 듯했는데 카페 라테를 주문하시고는 내가 커피를 다 만들 때까지 뒤에서 계속 미소를 짓고 계셨다. 우유 스티밍을 할 때는 팁을 넣어주시기도 했다. 인자함이 사람의 모습이 된다면 딱 이분이겠다는 느낌이었다. 그리고 커피를 드리려는 순간, 왠지 느낌이 이상했다. 속으로 외쳤다.

'제발 하지 말아줘. 그것만큼은!'

간절한 나의 바람과는 달리 그 신사분은 기운찬 쎼쎼와 더불어 두 손을 공손히 모아 합장하며 고개 숙여 인사를 하시는 것이었다. 마지막 인사만 아니었어도 최고의 손님 TOP 10 안에는 들었을 텐데.

≈

놀라울 만치 한가했던 어느 날 한 아시아인 여자가 그라운드 층을 돌아다니고 있었다. 그러다 음료를 정리하는 나를 보고서는 그대로 다가오더니 갑자기 중국어로 얘기를 했다. 아무런 망설임도 없이.

그 순간 나는 표정 관리가 안 되어 살짝 얼굴이 일그러졌다. 평소 사람에게 불만을 잘 표하지 않는 나이지만 그때는 일부러 땅이 꺼져라 한숨을 쉬고는 말했다.

"나 중국어 몰라. 영어로 말해줘."

그제야 그녀는 영어로 화장실이 어디냐고 물어봤다. 왜 중국인들은 모르는 사람에게 다짜고짜 중국어를 내뱉는가. 영어 할 수 있으면서!

≈

매니저와 교대 시간이 조금 길게 겹쳤던 날. 내가 출근하고 얼마 안 있다가 베로니카는 습관적인 윙크를 하며 말했다. 단골손님들이 내 칭찬을 그렇게 많이 했다고. 우리 가게에 네가 있어서 참 기쁘다고. 그리고 그녀는 뿌듯하다는 표정으로 이렇게 덧붙였다.

"그 사람들이 '그 중국인 여자애, 되게 친절하고 일 잘하더라'라고 하길래 내가 바로 그 애 중국인 아니고 한국인이라고 말했어."

고, 고맙다!

≈

하루의 마무리인 마감 시작 직전. 겉보기에도 굉장히 유쾌해 보이는 흑인 아저씨가 왔다. 그는 누텔라 크레페를 주문했고 계산이 끝나자마자 쎼쎼라고 했다. 두달 쯤 되니 놀랍지도 않았다. 그런데 평소에는 정신없어서 그냥 넘어가지만 왠지 그날은 말하고 싶었다.

"나 중국인 아니야. 한국인이야."

그 아저씨는 바로 사과를 하며 물었다.

"한국어로 땡큐는 뭐야?"

"감사합니다."

"감스합뉘다."

그래도 사과와 추가 질문으로 오해를 풀었기에 역시나 빼놓지 않는 합장은 넘어가 줬다.

≈

한참 아이스크림을 리필하고 있을 때, 따가운 시선이 느껴져 보니 저 멀리서 할머니와 손녀 같아 보이는 2명이 나를 보고 있었다. 그것도 아주 게슴츠레하게. 그리고 얼마 안 있다가 매장 앞까지 왔고, 할머니가 나를 불렀다. 그러고는 진지한 얼굴로 물었다.

"너, 중국인이니?"

한국인이라고 하니, 그들은 애매한 표정을 지으며 덧붙이는 말 없이 그냥 돌아갔다. 이유는 잘 모르겠지만, 내 느낌에 중국인이라고 했으면 뭔가 안 좋은 행동이나 말을 하려고 했던 것 같았다. 분명 중국에 악감정이 있는 듯한 얼굴이었다. 한국인이어서 참 다행인 순간이었다.

더블린 아이스크림 가게에서의 기억은 대부분 좋았지만, 3일에 한 번 정도는 악의 없는 쎼쎼 공격을 받았었다. 어쩌면 서양인들은 그것밖에 몰라서 자기들 딴에는 확률 게임을 하는 것일 수도 있지만(아니면 내가 중국인처럼 생겼거나).

어딜 가나 중국인들이 많기 때문에 특히 동양인이 많이 없는 나라에 간다면 쉽게 중국인으로 오해받을 수 있다. 나는 일터라 그냥 넘어간 적이 많았으나, 해외에서 중국인 취급을 받는다면 참지 말고 말하자!

"I am a Korean! Not a Chinese."

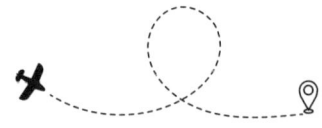

156일의 아일랜드 생활이
우리에게 남긴 것

아일랜드에서 생활한 지 130일이 조금 지났을 시점, 우리는 아일랜드를 떠나 호주로 가기로 결정했다. 원래 계획보다 2개월 정도 일찍 나가는 것인데, 복합적인 이유였다. 우선 고생에 비해 돈이 모이지 않았다. 3명과 함께 사는 셰어 하우스의 방 한 칸은 950유로(한화 130만 원)였는데 그에 비해 임금은 그다지 높지 않았다. 생활하는 데는 문제가 없었지만, 돈을 모으기는 어려웠다.

게다가 남편은 학원이 끝나면 거의 바로 출근을 했는데, 항상 마감이 늦어져 밤 11시에 집에 오는 날도 잦았다. 몸은 녹초가 되고, 여유 시간도 없이 사는데 돈은 모이지 않고. 돈 때문에 '나라를 옮길까?' 하는 고민을 시작했던 그 시기에는 이미 익숙해질 대로 익숙해진 더블린 생활이 조금은 지루하게 느껴지기도 했다.

그런데 하필 그때, 저 먼 호주에서 솔깃한 정책을 냈다. 인력난을 해결하기 위해 약 45만 원의 워킹홀리데이 비용을 환급해주겠다는 것.

'이거다! 호주로 가자!'

더블린에 온 지 5개월. 우리는 아일랜드를 떠나 새로운 도전을 해보기로 했다. 조금 더 따뜻하고 임금이 높지만 생활비는 더블린과 비슷한 호주로.

첫 도시, 더블린이 남긴 것

누군가 아일랜드 어학연수, 아일랜드 워킹홀리데이를 추천하느냐고 묻는다면 우리 부부의 대답은 'YES'이다. 생각했던 것보다 훨씬 더 많은 것들을 얻었기 때문이다. 더블린이라는 작은 도시에서 5개월 동안 살며 얻은 가장 큰 수확은 세 가지다.

먼저, 처음 목표이기도 했던 영어 두려움 극복.

우리 부부는 여행이나 워킹홀리데이가 아닌 어학연수로 아일랜드에 갔다. 코로나 때문에 온 세계가 막혀 워킹홀리데이가 가능했던 영어권 국가는 없었기에 차선책으로 선택한 아일랜드 어학연수였다. 아일랜드는 유일하게 영어를 사용하는 EU 국가인데, 아이리시 억양은 알아듣기가 쉽지 않다고 해서 걱정을 많이 했다. 하지만 막상 가보니 웅얼거리며 말하는 사람 빼고는 딱히 어려운 점은 없었다. 더블린은 특히 여러 국적의 사람들이 함께 사는 국제적 도시이다 보니 '진짜' 아이리시를 만나기 어려워서 그렇기도 하다.

아일랜드로 떠나기 전, 우리 부부의 영어는 역시 문법에 강한 한국인답게 스피킹에 약한 상태였다. 억지로 하라고 하면 할 수는 있었지만, 외국인 앞에서는 말을 잘 못 하는 정도. 그래서 막연한 영어 스피킹 울렁증이 있었는데, 더블린에서 그것을 말끔히 지울 수 있었다.

그 두려움은 첫 번째로 어학원에서 조금 깨졌다. 하지만 어학원에 있는 친구들 또한 영어 스피킹이 조금 더 낫다 한들 그들도 영어를 배우고 있는 외국인이기 때문에 그 울렁증이 완전히 없어지지는 않았다.

영어 스피킹에 대한 두려움을 80% 정도 극복할 수 있게 해 준 것은 다름 아닌 나의 일터였다. '클레어 홀 Clair Hall'이라는 이름의 쇼핑몰. 그라운드 층 한 가운데에 있던 나의 작은 일터. 매장이 작아 한 명만 일했기 때문에 주문부터 재고

정리, 돌발 사고 수습까지 나 혼자 해야만 했다. 그래서 강제로 현지 사람들과 얘기를 해야만 했고, 사고를 치지 않기 위해 슬러시 기계 밑에 영어회화책을 놓고 열심히 공부한 결과 영어 두려움은 전보다 훨씬 많이 줄어들었다.

두 번째, 해외 생활에 대한 자신감.

우리는 결혼을 했기 때문에 다음 단계인 '임신과 출산'을 생각하지 않을 수 없었다. 그런데 그 전에 꼭 함께 해외에서 살아보고 싶었다. 여행보다는 몇 년 동안 살아보는 생활을, 아이를 낳으면 못 할지도 모르는 것들을 다 하고 싶었다. 길지는 않은 5개월이었지만 영어만 쓰면서 일도 해보고 어학원 다니면서 외국 친구들도 만들었다. 소문으로만 들었던 그 유명한 아이리시 펍에도 가봤는데, 애주가인 나에게는 나름 큰일이었다.

우리는 나중에 태어날 아이에게 들려줄 만한 재밌는 더블린 체험기를 잔뜩 만들었다. 더블린의 모든 기억이 소중하다. 우리의 2세가 학교에 다닐 때쯤이면 아일랜드에 다시 가서 일했던 쇼핑몰에 데려가 아이스크림을 사줄 것이다.

아일랜드 생활 중 가장 재밌었던 것이 무엇이냐고 묻는다면, 나는 주저 없이 아르바이트라고 말할 것이다. 일찍 떠나는 바람에 3개월밖에 일하지 못했지만, 그 기간 동안 쇼핑몰 안의 작은 키오스크 매장에서 코 워커Co-Worker나 매니저 없이 혼자 일했던 나는, 남편처럼 동료들과의 눈물의 작별 인사도 없이 끝까지 혼자였다. 유난히 섭섭했던 마지막 근무 날에는 혼자 매장 사진을 찍고 손님들과 마지막 인사를 하며 쓸쓸하게 아쉬움을 달랬다.

그날의 손님들은 입이라도 맞춘 듯이 "넌 어디에 가서든 잘 해낼 거야! 응원해!"라는 말을 참 많이도 해주셨다. 짧게 일했지만 일하는 동안 평생 가슴에 담아둘 만한 좋은 기억을 안고 나왔다. 가끔 힘든 일이 있을 때면 '이 나이에 여기 와서 내가 뭐 하고 있나' 하는 생각도 했었지만. 외국에서 일을 하며 얻은 경험과 바뀐 생각들, 친절한 손님들과의 잊지 못할 대화는 더블린을 '내 인생에서 꼭 다시 와보고 싶은 도시 BEST 1'으로 만들었다.

세 번째, 평생 잊지 못 할 유럽 여행.

아일랜드는 영국 왼쪽에 있는 섬나라로 유럽 여행을 가기에 매우 용이한 위치에 있다. 항공권을 찾아볼 때면 유럽의 어느 도시를 찍어도 저렴해서 놀랐다. 더블린에서 프랑스 파리까지는 편도로 4만 원이다. 5만 원도 안 되는 돈으로 에펠탑을 보러 갈 수 있다니! 대단했다. 셰어하우스에서 같이 살왔던 스페인 친구는 쉬는 날에 당일치기로 스페인에 다녀오기도 했고, 어학원 친구들도 종종 훌쩍 다른 나라로 갔다 오기도 했다.

물론 여행을 좋아하는 우리도 지리적 이점을 놓치지 않고 유럽 여행을 자주 떠났다. 더블린에 큰 짐을 두고 기내 캐리어 하나와 배낭 하나로 가볍게. 크리스마스에는 덴마크로, 열심히 살다 잠시 쉼이 필요할 때는 네덜란드로. 그리고 호주로 넘어가기 전에는 마지막으로 3주간 동유럽 곳곳을 보고 왔다.

영국을 제외하고는 유럽에 위치한 유일한 영어권 국가인 아일랜드는 공부하며 여행하기에 딱 좋다. 아일랜드에 1년만 살아도 여행하고자 하는 의지만 있다면 대부분의 유럽은 다 가볼 수 있을 것이다.

우리는 사실 서른 살이 되기 전, 어디로든 떠나고 싶어서 성급하게 아일랜드행을 결정했다. 처음엔 그냥 '여기서 얼른 영어만 배우고 빨리 큰 나라로 가자!' 정도의 마음이었다. 그런데 이렇게 마음에 남은 도시가 될 줄이야. 평생 가도 못 잊을, 생각하면 몽실한 솜사탕 같은 추억을 만들어준 더블린이 나는 너무 고맙다. 지금도 떠돌이 생활 중인 우리가 유럽에 돌아간다면 아마 가장 먼저 들를 곳이 아일랜드가 아닐까. 우리의 첫 도시, 아일랜드 더블린.

📍 무작정 떠나 온 아일랜드. 6개월이 채 안 되는 더블린 생활이었지만 우리는 해외 생활에 대한 강한 자신감을 얻을 수 있었다.

Tips & TMI
아일랜드 살기에 관해 알아두면 좋은 것들

1. 어느 비자로 갈 것인가를 먼저 고민하자

비자마다 취업, 학업, 체류 기간 등에 대한 자격이 다르기 때문에 비자를 정할 때는 목적과 계획에 맞게 선택해야 한다. 외국살이는 비자가 관건이라는 말이 있듯, 아일랜드에 가기 전에 어떤 목적에 따라 어느 비자를 받아서 갈 것인지를 먼저 고민해야 한다. 아일랜드에서 취업비자를 받아서 가는 것이 아닌 경우 장기 체류할 수 있는 방법은 총 3가지이다. 첫 번째는 워킹홀리데이, 두 번째는 대학 진학, 세 번째는 어학연수이다.

워킹홀리데이는 협정이 맺어진 국가 간 청년들이 자유롭게 교류하며 여행하는 것을 주목적으로 한다. 그리고 여행을 위한 비용을 충당하기 위한 워킹 Working, 즉 취업할 수 있는 자격을 준다. 여행이 주목적이라고 하지만, 워킹홀리데이 비자를 받으면 오픈 워크퍼밋 Open Work-permit으로 일할 수 있다는 것은 큰 장점이다. 만 30세까지만 지원할 수 있고, 선발 방식은 각 나라별로 상이한데 아일랜드 워킹홀리데이의 경우는 추첨제로 진행된다.

대학 진학을 통한 학생 비자는 학비가 비싸다는 단점이 있지만, 졸업 후 아일랜드 현지 취업과 영주권까지 도전해볼 수 있다는 장점이 있다. 만약 한국에서 본인의 커리어를 가지고 있던 사람이라면, 커리어와 연결할 수 있는 전공으로 학위를 따고, 해외에서 본인의 커리어를 살릴 수 있다는 것 또한 장점이 될 수 있다. 학생비자로 주 20시간 근무가 가능한 오픈 워크퍼밋을 받을 수 있다는 것도 유학생의 입장에서는 큰 이점이다. 하지만 아일랜드의 학비가 미국, 영국 등에 비해서는 저렴하다고 해도 국가 규모가 작기 때문에 향후 취업에 제약이 있을 수 있다.

어학연수를 목적으로 하는 학생비자는 우리 부부가 받은 비자다. 아일랜드 내 어학원의 6개월 과정에 등록하면 6개월은 어학원에 다니는 기간으로, 나머지 2개월은 학원을 다니지 않고 머물 수 있는 기간으로 쳐서 장기체류 비자를 받을 수 있다. 어학원 비용이 들기는 하지만 타 영어권 국가에 비해 학원비가 저렴하고, 오픈 워크퍼밋을 통해 주 20시간씩 일할 수 있다(국가가 인정한 기간에는 학생비자 소지자라도 주 40시간 근무가 가능하다). 캐나다 등 일부 국가에서는 어학원 등록 학생비자로는 일을 못 하는 경우가 있기 때문에 일을 할 수 있다는 것 자체가 아일랜드 어학연수의 장점이라고 할 수 있다.

2. 오픈 워크퍼밋이란 무엇인가?

워크퍼밋 즉, 취업허가자격은 일반적으로 클로즈 워크퍼밋 Closed Work-permit과 오픈 워크퍼밋 Open Work-permit 두 가지로 나뉜다. 클로즈 워크퍼밋은 특정 고용주 밑에서만 일할 수 있고 고용주를 마음대로 바꿀 수도 없다. 이직을 하거나 부업을 하는 등의 행위에 큰 제약이 따른다는 의미다. 고용주를 바꿀 수 없다는 말은, 반대로 해고를 당하거나 퇴사를 하는 일이 발생하면 워크퍼밋이 취소된다는 의미이기도 하다. 그래서 클로즈 워크퍼밋으로 해당 국가에서 근무하는 경우에는 고용주의 영향을 많이 받게 되고 부당한 대우를 받더라도 체류 비자 문제로 쉽게 회사를 그만두지 못하는 경우가 많다.

반면 오픈 워크퍼밋은 고용주에 상관없이 정해진 기간 동안 일할 수 있는 자격으로 이직, 부업 등에서 자유롭다. 또한 클로즈 워크퍼밋에 비해 고용주가 처리하는 절차(각종 비용, 행정 절차 등)가 없기 때문에 채용 시장에서도 이점을 가질 수 있다. 하지만 오픈 워크퍼밋을 주는 비자 종류가 많지 않다. 이 중에서도 워킹홀리데이 비자는 오픈 워크퍼밋 중 가장 적은 비용과 1년에서 최대 2년까지 제법 긴 기간을 보장하는 비자이다.

장점이 많은 오픈 워크퍼밋은 대부분의 해외 취업 지원자들이 받고 싶어 하지만, 영주권을 취득한 것이 아니라면 쉽게 받을 수 있는 것이 아니다. 이런 점에서 오픈 워크퍼밋을 주는 아일랜드 어학연수 비자는 워킹홀리데이 비자를 받을 수 없을 때 훌륭한 차선책이 될 수 있다.

3. 아일랜드에서 자리 잡기 위해 꼭 해야 하는 일들은?

아일랜드에 비자를 받아 입국했다면, IRP Ireland Residence Permit · 아일랜드 체류 허가증를 받아야 한다. 국내에서 모든 비자 절차를 마무리하고 가는 국가도 있지만, 아일랜드의 경우 입국 시에는 임시 비자를 발급받고 아일랜드 입국 후 정식 체류 자격으로 변경해야 한다. 그래서 아일랜드 입국 후 임시 비자의 유효기간인 90일 이내에 IRP를 받아야 하며, 그 이후에는 PPSN Personal Public Service Number · 개인공공서비스번호을 신청하면 된다. IRP는 제때 신청하지 않으면 불법체류자가 될 위험이 있지만, PPSN은 신청하지 않는다고 해서 체류 자격에 문제가 생기는 것은 아니다. 하지만, 세금 중과세, 각종 복지 혜택 제외 등 불이익이 많기 때문에 아일랜드에서 일을 하거나 오래 머물 예정이라면 무조건 신청해야 하는 것 중 하나다. 또한 은행에 따라서 PPSN이 없으면 계좌를 개설해주지 않는 경우도 있기 때문에 원활한 생활을 위해서라도 받는 것이 좋다.

4. 아일랜드에서 집 구하기

먼저, 한국과 아일랜드의 월세 계약이 여러 면에서 다르다는 점을 이해해야 한다. 우리나라는 보증금으로 1년 치 월세 혹은 그 이상의 목돈을 지불하지만, 유럽에서는 보통 한 달에서 많게는 석 달 치의 월세를 보증금으로 받는다. 덕분에 아일랜드는 보증금에 대한 부담이 적지만, 유럽 내의 영어권 국가라는 입지, 인구에 비해 좁은 면적, 높은 물가의 영향 등 여러 이유로 월세가 매우 비싼 편이다. 보증금을 제외하고 월세만 본다면, 최소 서울 원룸 시세의 1.5배 정도는 거뜬히 넘는다.

게다가 월세를 낼 돈이 충분하다고 해서 집을 쉽게 구할 수 있는 것이 아니다. 하나의 매물에 많은 세입자가 몰려 경쟁률이 대체로 높은 편이고, 그 영향으로 집주인이 절대적인 갑의 위치에 있다. 그래서 워킹홀리데이 소지자나 유학생들에게는 렌트 계약을 잘 해주지 않는 편이다. 소득증명서류, 은행 계좌 잔고 증명서류, 전 집주인 추천서 등 요구하는 서류 또한 까다로워 현지인이 아닌 외국인 유학생은 대부분 상대적으로 들어가기 쉬운 셰어 하우스를 선택한다. 안정적인 소득이 있는 직장인이어도 높은 물가 때문에 하우스 셰어를 하는 경우도 많다.

각종 공과금을 유틸리티 빌 Utility Bill이라고 부르는데, 전기, 수도,

인터넷 등 기본적인 것은 우리나라와 비슷하지만, 쓰레기 처리 비용 Bin Bill처럼 국내에서는 생소한 부분도 있다. 한국은 지자체에서 일괄적으로 관리하지만 아일랜드는 개인이 쓰레기 수거 업체와 계약을 하거나, 아파트처럼 공동 주택인 경우 관리비에 포함시켜 단체로 계약을 한다. 월세에 별도로 빌을 납부한다면 이런 것들을 고려해야 한다.

5. 아일랜드에서 일자리 구하기

워킹홀리데이, 학생비자 등으로 아일랜드에 들어간 사람들은 오픈 워크퍼밋을 받을 수 있는데, 정확히 말하면 구직은 입국 후부터가 아닌 IRP를 받은 후부터 가능하다. 그런데 IRP 받기까지 제법 오랜 시간이 걸려서 꽤 많은 이들이 급여를 현금으로 받는 소위 캐쉬잡 Cash Job을 한다. IRP 없이 일하는 것은 엄밀히 따지면 불법이기 때문에 최저시급도 보장받지 못하는 경우가 흔하다. 불법체류자들이 캐쉬잡을 하는 경우도 있고 학생들의 경우 IRP를 받기 전까지 생활비 지출이 너무 커, 비용을 충당하기 위해 하기도 한다.

워킹홀리데이는 풀타임으로 일할 수 있기 때문에 주 40시간의 근무가 가능하다. 반면 아일랜드 학생비자로는 주 20시간, 특정 기간에만 주 40시간까지 일할 수 있는데 현실적으로 이는 잘 지켜지지 않는 편이다. 로스터를 충분히 받지 못해 20시간도 채 일하지 못하는 경우도 많지만 인력이 부족해 20시간 넘게 일하는 경우도 왕왕 있다.

그리고 PPSN을 받기 전까지는 중과세된 세금을 내야 한다. 보통 40% 정도를 내는 편인데, 한 달에 100만 원을 벌면 40만 원을 세금으로 내는 것이다. 다행인 점은 PPSN을 받은 후에 세금 환급을 신청할 수 있기 때문에 정상 세액을 제외한 금액은 돌려받을 수 있다. 하지만 PPSN 발급까지도 역시 제법 시간이 걸리기 때문에 초기에는 생활비가 부족할 수 있다는 점을 고려해야 한다.

6. 은행 계좌를 개설해야 하는데 잘 모르겠다면?

아일랜드는 유로존 Euro-Zone에 속하고, 유로화를 사용하는 국가여서 은행 계좌 역시 유로화 계좌이다. EU는 유로화를 통용시키기 위해 유로화 계좌 간에는 송금을 편리하게 만들었는데, 같은 유로화를 사용하는 나라라면 타 국가 간의 송금이라도 해외 송금이 아닌 국내 송금과 동일하게 처리된다. 즉, 내가 유로존에 속한 두 나라, 아일랜드와 오스트리아 간에 송금을 한다면 아일랜드 내에서 송금하는 것과 동일하게 처리되는 것이다. 해외 송금이라고 수수료가 더 붙거나 절차가 복잡하지 않는다.

덕분에 유명해진 은행 계좌가 '레볼루트'와 'N26'이다. 영국의 핀테크 기업으로 시작해서 리투아니아에서 EMI 허가를 받고 현재 인터넷 전문 은행으로 영업 중인 회사인데, 유로존 어디서나 사용이 가능하다. 우리나라의 카카오뱅크나 토스뱅크와 비슷한 인터넷 은행인 셈인데, 아시아 전역에서 사용이 가능하다고 보면 이해가 쉬울 듯하다. 많은 유학생들이 아일랜드의 은행에서 계좌를 열기가 쉽지 않다 보니 상대적으로 간편하게 몇 가지 절차만 거치는 인터넷 은행들이 흥행했다. 실제로 아일랜드에서 개인 간에는 레볼루트로 거래를 많이 하지만 회사에서 급여를 줄 때는 정식 아일랜드 은행 계좌를 요구하는 편이다.

만약 한국 계좌에서 유로화 계좌로 송금한다면 IBAN 등 여러 가지를 고려해야 한다. 특히 국가 선택을 잘해야 하는데, 아일랜드에서 레볼루트 계좌를 개설했다고 해도 송금할 때는 수신 국가를 리투아니아로 선택해야 한다. 레볼루트가 은행 허가 자체를 리투아니아에서 받은, 리투아니아 은행이기 때문이다. 국내에서는 이런 개념이 흔하지 않기 때문에 해외 송금 시에 많은 사람들이 어려워하는 부분이다. 만약 뱅크 오브 아일랜드BOI 처럼 아일랜드에서 은행 허가를 받은 아일랜드 은행이라면 국가를 아일랜드로 선택하면 된다.

7. 아일랜드에 브라질 친구들이 많다는데?

아일랜드에서 가장 많은 외국인은 단연 브라질리언들이다. 여기에는 여러 이유가 있지만 타 국가에 비해 남미 사람들이 비자를 받을 수 있는 조건이 쉽고, 최저시급이 높은 영미권 국가라는 것이 가장 중요한 이유라고 생각된다. 실제로 학생 비자를 받을 때도 잔고증명을 통해 일정 금액 이상을 입증해야 하는데, 이 금액 기준도 비자를 발급해주는 나라마다 그리고 비자 신청자의 국적에 따라 다르다. 예를 들어 브라질 사람들이 아일랜드에서 학생비자를 받으려면 300만 원만 계좌에 있으면 된다고 가정하면, 호주의 학생비자를 받을 때는 약 1,000만 원 정도가 있어야 한다고 한다. 물론 개인마다 상황이 다르겠지만, 우리가 만나서 물어본 브라질 친구들의 대답은 비슷했다.

그래서 아일랜드 어학원, 직장 등에서 남미 친구들을 많이 볼 수 있는데, 이 친구들 대부분이 쾌활하고 영어를 잘하기에 친구를 사귀기에도, 영어 공부를 하기에도 좋다. 어학원에서 남미 비율이 높다 보니 자기들끼리 포르투갈어 혹은 스페인어를 사용하는 경우가 많아서 소외감을 느낄 때도 있다. 실제로 남편은 직장 동료 10명 중 5, 6명 정도가 남미 출신이라 본인들끼리는 스페인어로 대화해서 여기가 아일랜드인지 남미인지 헷갈릴 정도였다고 한다.

8. 아일랜드에서 유럽 여행하기에 좋은가?

아일랜드는 섬나라여서 육로를 통해 유럽 여행을 할 수는 없다. 하지만 유명한 저가 항공사의 본사가 있는 곳이기도 하고 저가 항공편이 잘 되어 있어서 비행기로 이곳저곳을 가기엔 매우 용이하다. 또한 EU 국가 간에는 이동이 자유로운 편인데, 아일랜드는 EU에 속해 있다. 우리나라 사람들은 대다수의 유럽 국가에 무비자(관광비자)로 입국할 수 있지만, EU 간의 이동인지 비EU와 EU 간의 이동인지에 따라서 입국 조건이 달라지기도 하기에 EU 국가의 비자를 소지하고 있다는 것은 유럽 여행을 보다 수월하게 만들어준다. 실제로 한국인들이 많이 찾는 여행지인 스페인, 프랑스, 독일 등 대부분이 EU 소속이기 때문에 국가 간 이동에 제약이 적다.

유럽 여행 중 또 하나 주의해야 할 점은 셍겐 조약Schengen Agreement인데, 아일랜드를 떠나 유럽을 3개월 이상 장기간 여행할 생각이 아니라면 크게 중요한 내용은 아니다. 참고할 점은 아일랜드는 EU 국가지만 셍겐 조약에는 가입하지 않았기 때문에 장기 여행을 계획 중이라면 이를 염두에 두어야 한다.

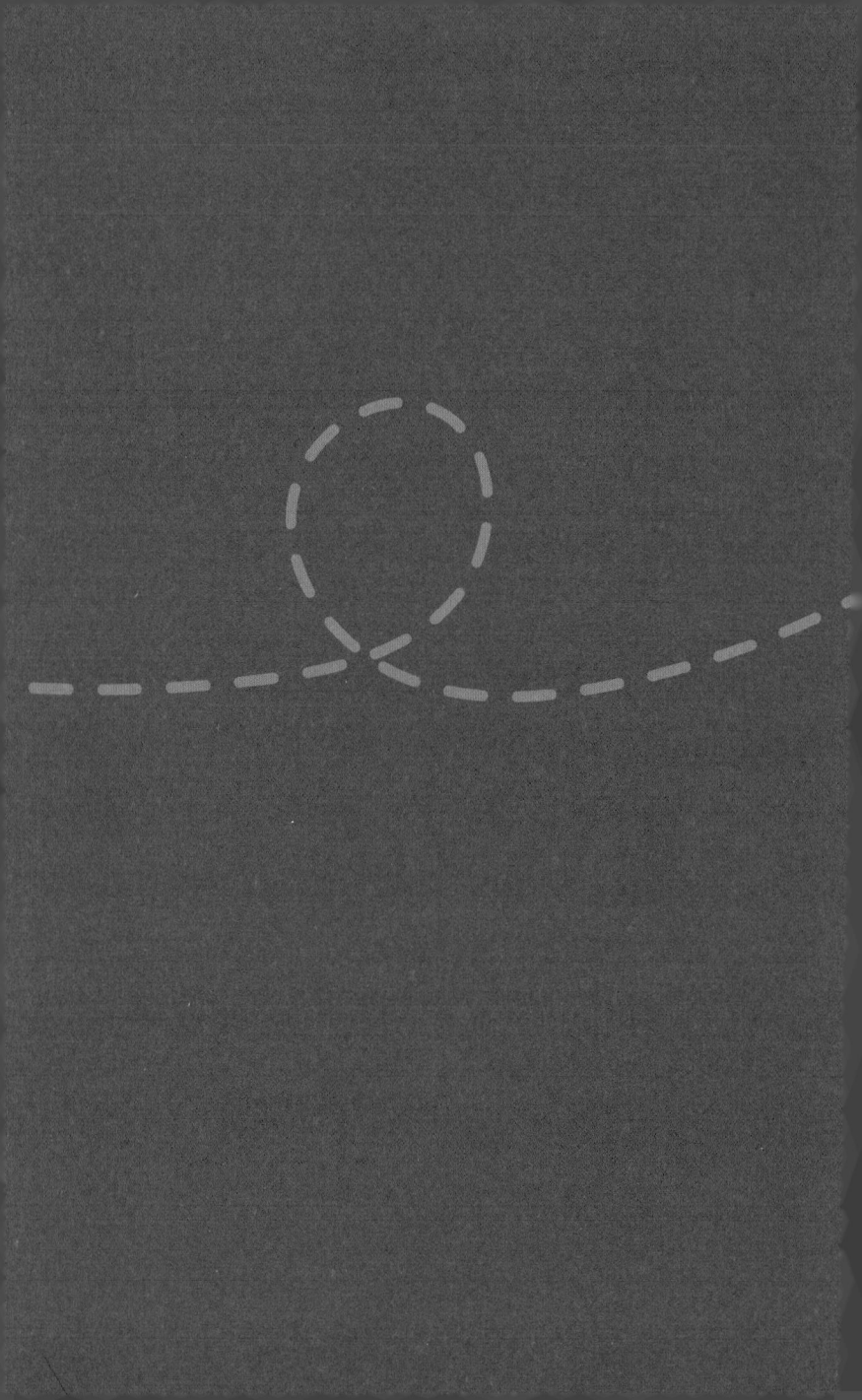

Part 3.

이민까지 생각했던
그곳, 호주 멜버른

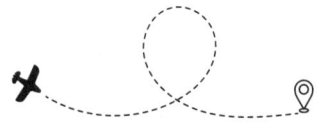

이민자의 천국,
멜버른의 첫인상

아일랜드에서 호주로 바로 가려고 표를 알아봤으나 오히려 바로 가는 것보다 한국에 들렀다 가는 편이 더 저렴했다. 그래서 우리는 짧게 한국에서 재정비를 하며 호주 워킹홀리데이를 준비했다. 역시 살기 좋은 한국인지라, 얼마 머물지 않고 떠나는 것이 아쉬울 정도였다. 그리고 다가온 출국날, 우리가 호주 멜버른Melbourne으로 향했던 경로는 인천공항에서 스쿠트 항공을 타고, 싱가포르 창이공항으로 간 후, 그곳에서 다시 멜버른 공항으로 향하는 일정이었다. 인천공항에서 아침 비행기를 타야 해서, 우리는 전날에 인천공항 근처의 호텔에서 하루를 묵었다.

인천공항에서 창이공항까지 비행시간은 7시간이 조금 안 된다. 사실 유럽에 오갈 때는 장거리 비행으로 분류되어 맛있

○ 아일랜드와는 사뭇 다른 호주 멜버른의 풍경과 맑은 하늘 아래에서, 왠지
이곳에서는 잘 살 수 있다는 느낌이 들었다.

이민까지 생각했던 그곳, 호주 멜버른

는 기내식도 나오고 와인도 마음껏 마시며 작은 화면으로 게임도 할 수 있었는데, 싱가포르 갈 때는 물 한 잔도 돈 주고 사 먹어야 했고 기내 엔터테인먼트도 없었다.

지루한 7시간의 비행 끝에 창이공항에 도착하자마자 눕고 싶다는 생각뿐이었다. 하지만, 여기서 거의 10시간 동안 환승 대기를 해야 했는데, 어디 쉽게 누울 만한 공간이 없었다. 우리는 미리 검색해뒀던 라운지를 찾아 들어갔고, 6시간 티켓의 가격이 제법 비쌌지만, 배도 든든하게 채우고 말끔하게 샤워까지 했기 때문에 돈 아깝다는 생각은 들지 않았다. 그렇게 오후 내내 라운지에서 겨우 버티다가 새벽 1시 무렵에 드디어 멜버른으로 향하는 비행기에 올랐다. 꼭 돈을 많이 벌어서 '어딜 가든 직항을 타자'는 결심을 하게 된 긴 호주행이었다.

일단, 집을 먼저 구하자

호주에 도착한 시점은 2022년 4월 12일 오전이었다. 멜버른의 툴루마린 공항에 내리자마자 우버를 타고 예약한 숙소가 있는 플레밍턴이라는 지역으로 이동했다. 우버 기사는 무척이나 친절했고 호텔에 도착했을 때, 굉장히 넓고 깔끔한 숙소에 감격스러웠다. 호주의 처음이 나쁘지 않았다. 숙소에 도착하자마자 부모님께 연락을 드리고, 하루 만에 누워보는 푹신한 침대에 거의 빨려 들어가듯 세 시간 정도 잠을 잤던 것 같다. 더블린에 갈 때와 비행시간은 비슷했지만 아무것도 없는 저가 항공을 타서인지 몸이 성치 않았다.

기절하듯 자다가 해지기 전에야 겨우 일어났다. 집에는 먹을 것이 하나도 없어 피곤에 절은 몸을 질질 끌고 10분 정도 걸어서 인근 마트로 갔다. 피곤함에도 실실 웃음이 날 정도로 호주는 마트 물가가 저렴한 편이었다. 우유, 빵 등은 매우 저렴한 편이었고 한국 라면은 더블린보다는 훨씬 쌌다. 아쉬웠던 점은 소문보다는 소고기가 비쌌다는 것뿐. 하지만, 확실히 한국보다는 저렴한 편이었다.

숙소에 들어와 빠르게 식사를 끝내고, 호주 부동산 사이트를 뒤져봤다. 아일랜드에 처음 갔을 때는 첫 단기 숙소로 한 달을 잡아 여유가 있었지만, 호주는 집을 구할 수 있는 기간이 길어야 일주일이었다. 어쩌면 초기 정착에서 비자 다음으로 중요한 주거 공간 확보를 위해 당장 입국 다음 날부터 미리 연락해놓은 집을 보러 다니기로 했다. 한국에서부터 제법 여러 곳에 문의를 남겨왔고, 당장 다음날만 해도 2~3개의 인스펙션 Inspection이 잡혀있었다. 인스펙션이란, 쉽게 말해 집을 보러 가는 것을 뜻하는데, 오픈 인스펙션과 개인 인스펙션 두 가지로 나눌 수 있다. 보통은 시간대가 정해져 있고, 그 시간에 집을 보러 가는 것이라서 '오픈' 인스펙션이라고 하는데, 이때 방문하게 되면 대게 여러 명의 사람들이 모여 있다. 바로 경쟁자들이다. 집이 마음에 드는 사람들이 경쟁적으로 집주인에게 렌트를 신청한 뒤, 집주인이 선정하는 한 명이 그 집을 차지하는 방식인 것이다. 개인 인스펙션은 신청자와 1:1로 시간을 맞춰 집을 보여주는 것인데 흔한 방식은 아니라고 한다.

멜버른 지도를 보며 일정을 정리하고, 부동산 사이트를 뒤적거리며 몇 개의 인스펙션을 더 예약한 뒤 잠에 들었다. 구하는 집의 첫 번째 목표는 우리 둘만 거주할 수 있는 공간이어야 했다. 더블린에서 셰어하우스에 살아보고 난 뒤, 다음에는 반드시 우리 부부만 사는 집을 계약하리라 다짐했다. 그리고 대중교통과 가깝고, 인근에 마트가 있는, 그리고 안전한 동네의 신축 건물이어서 벌레가 적은 곳을 구하고 싶었다. 과연 맞는 집을 구할 수 있을까. 호주는 워킹홀리데이 비자를 가진 외국인들이 집 렌트 계약을 하기란 절대 쉽지 않다는 소문을 많이 들었던 터라 인스펙션 가기 전부터 걱정이 이만저만이 아니었다.

다음 날 아침 일찍 길을 나섰다. 호텔이 있던 플레밍턴이

서북부 지역이었고, 첫 번째 인스펙션은 동부 외곽 쪽에 있는 리치먼드와 애벗포드라는 지역의 경계에 있는 집이었다. 제법 먼 곳이었는데, 전철을 타기 위해 15분 정도 걸어가야 했다. 멜버른에서 가장 편한 교통수단은 단연 트램이지만 교통카드가 아직 없었던 우리는 전철 인근 편의점에 들러 교통카드를 구매하고 충전해서 다시 길을 나섰다.

전철을 타기 위해 역에 도착하자 굉장히 헷갈리는 상황에 직면했다. 일단, 전철이 오가는 방향이 우리나라와 달랐는데, 전철을 어느 쪽에서 타야 동쪽으로 가는 노선인지 잘 모르겠는 것이었다. 게다가 처음 이용해보는 호주 전철인데, 어디에 태그를 해야 하는지도 알 수 없었다. 우리나라와 다르게 유럽과 호주는 전철이나 대중교통을 이용할 때 요금을 지불하는 방법이 자율적이었는데, 매번 단속을 하는 것도 아니고 차단기가 있는 것도 아니라서 요금 지불하는 곳을 실수로 지나칠 뻔하기도 했다.

결국 전철을 한 번 반대 방향으로 타고 나서야 인스펙션 장소로 향할 수 있었다. 그나마 아침 일찍 나온 덕에 늦지 않고 도착할 수 있었는데, 만약 첫 장소에 늦었더라면 연이어 쭉 늦을 뻔했다.

전철을 타고 가며 그제야 제대로 멜버른 풍경을 구경할 수 있었다. 외곽 지역은 별 감흥이 없는 풍경이었지만 중간에 트램으로 환승하기 위해 내린 시티의 모습을 보니 설레기 시작했다. 같은 고층 건물이더라도 우리나라가 현대적인 느낌이라면, 멜버른의 건물들은 조금은 고풍스러운 느낌이라고 할까. 단순히 처음 와보는 나라여서 신이 났던 것일 수도 있지만 확실히 다른 느낌이 있었다. 아일랜드에는 고층 건물이 많지 않아 멜버른의 휘황찬란한 도심이 더 새삼스럽고 인상적으로 다가왔는지도 모른다.

그날따라 유달리 맑았던 날씨 덕분일까, 처음 시티를 봤던 장면은 여전히 생생하다. 장기간의 이동으로 생긴 피곤함이 조금씩 사라지던 그때, 그제야 조금씩 멜버른을 눈에 담을 수 있었던 것 같다. 다시 트램을 타기 위해 기다리면서 왠지 이곳에서는 잘 살 수 있을 것 같다는 기대감이 생겨났다.

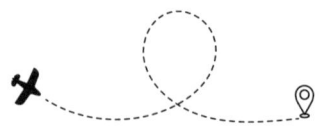

이케아 바로 앞,
멜버른 우리 집

우리가 보러 간 집은 총 3곳이었다.

≈ 1번 집 ≈

1번 집은 꽤 큰 단지의 콘도였다. 신식 건물의 6층이었는데, 수영장 헬스장까지 모두 구비되어 있었다. 시티까지 가는트램이 걸어서 3분 거리, 이케아가 입점해있는 제법 큰 쇼핑몰이 딱 5분 거리에 있는 최상의 입지를 가진 곳. 월세가 130만 원쯤 되었지만, 아일랜드에서 방 한 칸에 월 130만 원을냈던 것을 생각하면 정말 천국이라고 할 수 있었다.

우리는 첫 집을 보자마자 멜버른이 한 뼘 더 좋아졌다. 아쉽게 세탁기를 제외하고는 아무런 가구가 없어서, 침대며 냉장고며 대부분 구매해야 했지만 호주에서 2년, 길게는 3년까지도 지내기로 하고 왔기에 크게 부담스럽지는 않았다. 다만, 난방 장치가 전혀 없어 보이는 것은 아쉬웠다. 호주가 다른 곳보다 덜 추운 편이라고 하지만 유럽에도 있던 라디에이터 하나 없는 것은 의외였다.

짧았던 인스펙션이 끝난 후, 우리는 마음이 급해졌다. 밑에서 이 집을 보러온 사람들이 대기하다가 바톤터치하듯 한 팀씩 들어갔는데 그중에는 왠지 돈이 많아 보이는 이들도 있었다. 우리는 돈도 별로 없고 심지어 워킹홀리데이 비자라 어느 면에서도 뽑힐 확률이 적었다. 렌트 신청서를 작성하고 메일을 보낼 때 불쌍하게 보일 정도로 구구절절하게 적었다. 아직 호주에 들어온 지 얼마 안 되어 직업이 없지만 원한다면 몇 달 치 월세라도 먼저 내겠다며 어필을 했다. 다행히 부동산 에이전트는 은행 재정 증명 관련 서류만 잘 제출하면 될 것 같다면서 집주인도 직업이 없는 것은 크게 문제 삼지 않을 것이라고 귀띔을 해줬다.

두 번째 인스펙션 장소로 가기 전에 앞에 보이는 쇼핑센터를 잠깐 바라봤다. 집 앞에 저 정도 크기의 쇼핑센터가 있는 것은 한국에서도 경험해보지 못했다. 특히나 이케아가 멜버른에 딱 2개 있는데 그중 하나가 바로 우리 집 앞이라고 생각하니 거의 꿈같은 일이었다. 쇼핑몰을 좋아하는 우리는 그저 입맛을 다시며 집주인의 선택을 기다릴 수밖에 없었다.

≈ 2번 집 ≈

다음 우리의 목적지는 정반대 방향인 마리비농이라는 곳이었다. 멜버른 지도에 대해 간단하게 설명하면, 멜버른 시티센터라고 불리는 시 중심지역이 있고, 그 주변으로 근교 혹은 외곽지역이라 부르는 지역들이 중심지역을 감싸고 있는 형태였다. 시티센터에 집을 구하는 것이 교통비도 아낄 수 있고 가장 좋다고들 했지만, 우리는 워낙 시끄럽고 북적이는 것을 좋아하지 않아서 외곽지역 위주로 집을 보러 다니는 중이었다. 특히나 외곽 지역이 같은 월세면 집도 좀 더 넓고 편의시설도 다양해 굳이 중심부로 가야 할 필요성을 느끼지 못했다.

2번 집은 숙소가 있는 플레밍턴보다도 더 서쪽에 위치한 지역이었는데, 풋츠크레이라는 지역을 지나쳐야 했다. 이곳에서 환승을 해야 해서 기다리는데 유난히 동양인들이 많이 보였다. 베트남 식당과 중국 식당들도 꽤나 많이 보였는데, 나중에 알고 보니 이곳이 베트남인들이 많이 모여 사는 지역이었다. 무엇 때문인지 우범지역 중 하나로 언급되는 곳이었는데, 실제로 우리가 갔을 때는 낮이어서인지 그렇게 위험하다는 느낌은 받지 못했고 오히려 평화로워 보였다.

◉ 이케아 바로 앞 호주의 우리 집. 매일 저녁 우리는 퇴근 후 함께 단지를 산책하며 미래를 얘기했다.

◉ 셰어하우스가 아닌 온전한 우리 부부만의 집. 멜버른에서의 안식처였다.

풋츠크레이에서 환승을 하고 마리비농으로 향했는데, 이 마리비농이라는 곳은 정말이지 환상적인 동네였다. 그리고 기대했던 이국의 풍경을 가진 동네이기도 했다. 우리가 갔을 때는 날씨가 유독 좋아서인지, 주거 밀집 구역이라 아파트(혹은 콘도)들과 주택들을 제외하고는 모두 잔디밭이었는데, 그 푸르름이 인상적이었다. 과거 미국 드라마나 영국 드라마 같은 곳에서 보아왔던 부유층들이 사는 거주지 같은 느낌이 들었다.

하지만 아쉽게도 집은 그 정도로 좋지는 않았다. 첫 번째 집과 동일한 구조에 유사한 형태였는데 좀 더 외곽지역이라 그런지 넓고 저렴했다. 하지만 버스나 트램 정류장과는 거리가 다소 멀어 교통이 상당히 불편했다. 인근에 큰 쇼핑몰이 있긴 했지만 첫 번째 지역과는 다르게 트램을 타고 가야 해서 큰 장점은 없었다. 입지와 집은 별로인데 동네 자체의 분위기가 좋았던 곳이었다.

≈ 3번 집 ≈

예쁜 동네를 뒤로하고 세 번째 집으로 이동하려는데 갑자기 인스펙션이 취소되었다는 연락을 받았다. 마침 지쳐있던 우리는 떠나기 전 이곳에서 커피를 마시며 앞으로 어떻게 할

지 고민해보기로 했다. 같은 동네에 다른 집은 없나 찾아봤는데, 우연히 인근에 저렴한 가격으로 투룸 매물이 나와 있다는 것을 알게 되었다. 에이전트에 바로 연락해서 집을 볼 수 있었는데 막상 가서 보니 건물이 공사 중이어서 싸게 나왔던 것이었다. 그럼 그렇지. 아무리 예쁜 동네의 저렴한 투베드룸이라고 해도 굳이 공사 중인 건물에 들어가 살 필요는 없었기 때문에 그 매물은 신청서를 넣지 않고 미련 없이 돌아 나왔다.

이렇게 총 세 개의 방을 보고 나서 겨우 호텔로 돌아왔다. 우리는 3번 집을 제외한 두 개의 방에 모두 지원해 놓고 기다렸다. 속으로는 1번 집주인이 제발 우리를 선택해주길 기도하면서 다음 날 인스펙션 일정을 정해놓고 잠들었다.

호주에서 3일 차 아침이 밝았다. 첫 숙소는 3박으로 예약을 해 내일이면 나가야 했다. 집주인에게서 언제 연락이 올지 모르는 상황이었고, 언제 이사할지를 모르니 다음 숙소를 어디에 구해야 할지 며칠이나 묵어야 할지 정하기도 어려웠다. 어딜 가나 초기 정착은 힘들다는 것을 여실히 깨달았다.

3일 차에 보러 갈 집은 시티센터에 위치한 곳이었다. 전날 구매한 대중교통 카드로 트램을 타려는데 남편이 갑자기 소리를 질렀다. '아니, 아침부터 무슨 호들갑이지?' 하며 남편을 쳐다보니 그는 신이 나서 외치는 것이 아닌가.

"어제 리치몬드, 그 첫 번째 집. 우리랑 계약하겠대!"

바로 '이케아가 있는 쇼핑몰'이 떠오르면서 흥분되면서도 당황스러웠다. '아니 왜 우리를 선택한 거지? 혹시 집에 무슨 문제가 있나? 사기가 아닐까?' 여러 생각이 들면서도 기쁘기도 하고 당황스러운 감정이 뒤섞여 소용돌이쳤다. 그토록 원했지만 막상 받은 집주인의 선택을 곱게 인정하자니 의심이 가시질 않았다. 일단 외국에서 사기를 당하면 수습이 안 되기에 항상 예민하기도 했고, 그 집은 인기가 많아 이미 여럿이 신청을 했었는데, 외국인에 무직인 우리를 선택할 줄은 정말 몰랐다. 그런데 남편은 나를 더 조급하게 만들었다.

"이거 오늘까지 결정해달라는데?"

"뭐라고?"

아니, 뭐 결정까지 24시간도 안 주겠다는 것인가. 부동산에서 더욱 급하게 재촉하자 우리는 더 의구심이 생기기 시작했다. 시티에 인스펙션을 가면서도 우리의 대화는 온통 '이 집을 계약해, 말아?'였다.

그렇게 고민만 하다가 일단 4번째 집 근처에 도착했다. 그런데 중심부에 위치한 집이라 그런지 이미 2, 30명 되는 사람들이 몰려 있는 것이 아닌가! 아니, 이게 뭐지 싶었다. 이전에

봤던 집들은 기껏해야 한 팀 정도와 같이 봤기 때문에 경쟁이 있을 줄은 알았지만, 이렇게까지 치열할 것이라고는 상상도 하지 못했다. 나중에 알아보니 원래 멜버른은 이 정도 경쟁이 일반적이었지만, 우리가 갔던 당시에는 코로나 때문에 닫았던 국경을 연 지 얼마 되지 않았던 시기라 시티를 제외하고는 경쟁이 약했던 것 같다.

얼마나 많이 왔는지, 집 하나 보는데 10명씩 끊어서 들어가야 했다. 우리는 잽싸게 첫 번째 무리에 끼어들어 갔는데, 엄청 높은 건물임에도 좁은 복도와 더 좁은 방을 마주했다. 실제 평수가 7평이 채 안 될 것 같은 너비였는데, 전에 넓고 쾌적한 집들을 봐왔던 우리로서는 말도 안 되는 모양새였다. 사실 집의 위치는 정말 괜찮았고 주변에 식당이나 마트도 가까워서 시티에 거주하고 싶은 사람들이라면 최적의 위치라 여길만 한 곳이기도 했다. 다만 우리는 시티센터와 가까운 것보다 집 자체가 먼저여서 뒤도 보지 않고 돌아섰다.

이 집을 보고 나니 왠지 시내 중심에 있는 집들은 다 비슷할 것 같다는 느낌이 들었다. 그리고 마감 기한이 얼마 남지 않은 1번 집에 대한 고민이 더욱 깊어졌다. 그곳을 꼭 잡아야 할 것 같은데, 소심한 우리는 남들이 보기에 답답할 정도로 '어떡하지' 하고 고민만 거듭하고 있었다. 그러다 1번 집 건물에 다른 층 매물이 나온 집을 보게 되었고 재빨리 연락해서 예약을 잡아냈다. 오후 4시 30분쯤에 잡힌 집을 마지막으로 보고 최종적으로 결정하자며 리치몬드로 향했다. 그 때가 아직 두 시가 채 되지 않은 시간이라 여유가 있었는데 그동안 앞에 있는 쇼핑몰 구경을 하기로 했다.

쇼핑몰에 들어가는 순간, '우리 집은 딱 여기다' 하는 생각이 들었다. 그라운드 층에는 맥도날드, KFC, 베트남 롤, 공차 등이 들어와 있었고, 2층에는 이케아가 있었으며, 그 외에도 기타 생활용품을 파는 큰 마트가 두어 개 더 있었다. 여차하면 매일 이곳을 올 수 있다는 생각에 흥분해서 쇼핑몰을 둘러보고 있는데, 급하게 인스펙션을 잡았던 그 집이 갑작스럽게 계약이 되었단다. 나와 남편은 서로를 쳐다보고 고개를 끄덕였다. 그리고 바로 메일을 보냈다.

'계약을 하고 싶습니다.'

우리에게도 드디어 우리만의 집이 생겼다. 이케아 바로 앞, 호주 멜버른의 우리 집!

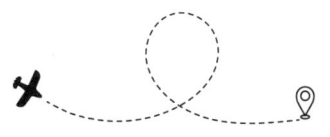

오지잡 VS 한인잡,
선택은 자유

계약한 집에 들어가기 전까지 며칠을 더 숙소에서 지내야
했다. 그 당시 호주의 홀리데이 기간이라 호텔이나 일반 숙소
찾기가 여간 어려운 게 아니었지만, 다행히 세인트 킬다라는
지역의 한 에어비앤비 주택을 찾을 수 있었다.

우버를 타고 달려 도착한 곳은 골목에 위치한 한 주택가
였고, 조금 작은 건물이었다. 예약할 때 2층이라는 건 알았지
만, 생각보다 계단이 좁고 가팔랐다. 미니멀한 소형 주택의 2
층. 캐리어를 그냥 계단에 둘까도 잠깐 고민했지만 들어있는
짐이 많으니 결국은 낑낑대며 위로 올려야 했다. 얼른 계약한
집에 이 무거운 캐리어들을 다 풀고 싶었다.

집을 구했으니 일을 해야지

생각보다 더 아늑하고 귀여운 숙소에 만족하며 한숨 돌린 우리는 곧바로 일을 찾아보기 시작했다. 숙박하는 데 제법 돈을 쓴 데다, 집을 구하는 데에도 보증금이다 뭐다 돈이 많이 들어가서 잔고는 곧 바닥을 보일 기세였다. 현지에서 비자를 받아야만 일을 할 수 있었던 아일랜드와는 달리 호주는 입국 전에 이미 비자를 받아왔기에 일을 바로 시작할 수 있었다. 호주는 시급이 높아서 놀면 오히려 손해라는 생각이 들었고, 우리는 빨리 일을 알아보기로 했다.

가장 먼저 목표로 했던 곳은 집 근처 쇼핑몰이었다. 이미 둘 다 더블린에서 파트타임을 하며 어느 정도 현장 업무에 자신감이 붙었고, 영어로 일을 하는 것에도 익숙해진 상태였다. 무엇보다 사는 동네에서 일하는 것이 얼마나 편한 것인지를 알아버렸기 때문에, 호주에서도 집에서 가장 가까운 쇼핑몰에서 일하고 싶었다. 다만 이케아가 있는 그곳은 생각보다 큰 쇼핑몰이었지만, 파트타임보다는 풀타임을 구하는 경우가 많았다. 게다가 대부분 본격적인 세일즈 업무였기 때문에 단기 비자를 가진 비영어권 외국인 우리를 고용하지는 않을 것 같았다. 물론, 영어 실력이 뛰어나면 문제가 없었겠지만 아직 우리의 영어 실력은 세일즈를 할 만큼 능숙하진 않았다. 의사소통을 하는 데 큰 문제가 있는 것은 아니었지만 남편은 여전히 영어 듣기 부분을 좀 힘들어했고, 나 역시 아이스크림 가게에서 손님들과 스몰톡만 했을 뿐 상품에 대해 길게 설명해본 적은 없었기에 지원하기엔 조금 부담스러웠다.

세인트 킬다에서는 일자리를 고민하며 여유로운 일상을 즐겼다. 이곳은 바닷가 바로 앞에 있는 지역이라 현지인이나 여행자들이 많이 놀러 오는 곳이기도 했다. 해변에는 바다와 태양을 즐기는 사람들이 여유롭게 누워 있기도 했고, 작은 놀이공원에 놀러온 가족들도 많이 보였다. 우리는 커피를 마시거나 동네 산책을 즐기며 호주에 왔다는 사실을 실감했다. 서로 많은 이야기를 나누었고 새로운 곳에서의 시작에 대해 열정을 불태우기도 했다. 한편으로는 불안한 재정상황에 대한 걱정으로 싸우기도 참 많이 싸웠다.

게다가 입주 며칠 전, 부동산 측에서 열쇠를 받으러 직접 오라고 하는 탓에 미챔이라는 지역까지 가야 했다. 호주에서는 세입자가 에이전트에게 비용을 내지 않고, 우리는 호주에서는 외국인이었기 때문에 열쇠를 받으러 오라는 에이전트의 말이 내키지 않아도 가야만 했다. 그곳은 멜버른 외곽이라고 부르기도 어려울 정도로 먼 곳이었다. 세인트 킬다에서 거의 1시간이 넘게 걸렸지만, 이삿날 차질 없이 들어가겠다는 마음으로 미리 가서 열쇠도 받았다. 그렇게 짧지만 다사다난했던 세인트 킬다에서의 4박은 지나갔고 마침내 계약한 집의 입주 당일이 되었다. 첫날부터 맨바닥에서 잘 수 없어 미리 사둔 가구들과 함께 우리는 새로운 집으로 들어갔다.

그렇게 사람과 가구가 입주를 잘 끝내고 우리의 호주 생활도 본격적으로 시작되었다. 구직사이트를 기웃대기만 하던 우리도 보다 적극적으로 일을 구하기 시작했다.

호주에서 우리가 구할 수 있는 일은 크게 3가지였다. 서비스직, 청소, 한인회사. 서비스직과 청소는 주로 현지 회사에서 구인하는 경우였고, 한인회사는 사무직부터, 서비스, 이사 등 다양한 업종이 있었다. 호주에서는 현지 업체에서 일자리를 구하는 것을 '오지잡'이라고 불렀는데 여기서, 오지란 Australia의 'Aussie'를 뜻하는 것으로 말 그대로 '호주 일자리'라는 뜻이다. 호주 워홀러들에게는 오지잡을 구하는 것이 첫번째 목표로 여겨지곤 했는데, 우리 역시 오지잡 위주로 일자리를 알아보았다.

나는 더블린에서 했던 F&B 일은 하고 싶지 않았다. 그 일은 무척 재밌었지만 호주에서는 조금 더 색다른 경험을 해보고 싶었다. 그래서 현장 근무가 아닌 사무직을 위주로 알아봤다. 남편은 데이터 업계에서 일하고 싶다는 생각이 있었기 때문에, 데이터를 입력하는 단순 노동일인Data Entry 일에 지원하기도 했다. 한 채용 공고를 보고 지원한 곳에서는 영문 및 숫자 타속을 확인하기 위해 테스트도 거쳤고, 타자 속도와 정확도가 제법 높게 나와서 마음에 든다며 같이 일하자고 제안을 받았지만, 시민권자가 아니어서 채용되지 못했다. 공공분야 일자리는 반드시 호주 시민권자를 채용해야 한다는 법 때문이었다. 역시 고작 1년짜리 워킹 비자로 할 수 있는 일에는 한계가 명확했다.

우리는 입주 후 1주일이 넘어가는 시점까지 적당한 일을 구하지 못했다. 초조해진 우리는 뒤로 미루어 두었던 한인 회사까지 알아보며 한인 커뮤니티를 통해 일자리를 찾기 시작했다. 나는 평소 관심 있었던 유학원 위주로, 남편은 사무직 위주로 구직을 시도했다. 당시 남편이 사무직을 고집했던 이유는 더블린을 일찍 떠난 이유와 비슷했다. 해외 석사를 준비하고 있던 그는 일과 공부를 병행해야 했는데, 몸 쓰는 일을 할 경우 퇴근 후에 공부하기가 어려울 것 같았다.

한인 회사들에 지원하기 시작한 지 2일 차 만에 연락이 왔다. 역시 한인 회사는 빨랐다. 나는 조금 더 걸렸고, 남편은 바로 면접을 볼 수 있냐는 연락이 왔다. 그는 시내 중심부에 위치한 그 한인 회사에 가서 면접을 봤는데, 돌아오는 트램 안에서 합격 통보를 받았다. 한인 회사라도 사무직에는 워킹홀리데이 비자를 잘 뽑지 않는데, 당시에는 코로나로 워낙 인력이 부족했던 탓에 풀타임으로 지원하는 사람이 거의 없다시피 했단다. 그래서 워킹홀리데이 비자를 가진 사람이라도 뽑지 않으면 일할 사람이 없었던 듯했다. 그래도 나름 오지잡을 구하고 싶었던 남편은 조금 내키지 않는 듯 고민했지만, 현실적으로 한인회사가 아닌 오지잡 중 사무직을 구하는 것은 훨씬 더 오래 걸릴 수도, 아예 안 될 수도 있었기에 일단 출근을 하기로 했다.

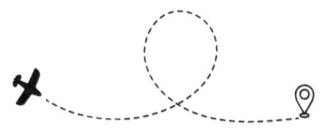

매달 200만 원씩
저축할 수 있다니!

멜버른에 온 지 한 달 만에 남편은 첫 출근을 했다. 당시 그가 다녔던 회사는 시티센터에 있는, 일식과 한식 레스토랑을 운영하는 프랜차이즈 회사의 본사였다. 요식업에 큰 관심이 있는 것은 아니었지만, 풀타임으로 일할 수 있고 급여가 괜찮다는 이유로 출근을 결정한 것이었다. 남편은 얼른 돈을 모아 대학원에 가고 싶어 했고, 그 밖에도 우리는 이래저래 돈이 필요한 상황이었기에 다른 요소들은 크게 생각하지 않았다.

나는 남편이 출근하고 얼마 지나지 않아 유학원에 출근하게 되었다. 남편보다는 적은 시간인 주 25시간 정도를 근무할 수 있었다. 호주는 2주 단위로 급여를 주는 것이 보편적인데, 남편이 나보다 1주일 먼저 시작하면서 우리는 1주일 차이로 급여를 받게 됐다. 나 역시 시급이 괜찮은 편이었지만 근무 시간 자체가 적었다. 당시 살던 집 월세가 140만 원 정도였고, 공과금을 모두 포함하면 160만 원이 조금 넘는 비용을 매달 고정적으로 지출해야 했는데, 급여 계산을 해보니 이를 감당하는 데는 전혀 무리가 없었다.

아일랜드에서 우리가 떠나기로 마음먹었던 가장 큰 이유가 '일은 일대로 하는데, 돈은 돈대로 나가면서, 돈을 모으지도, 공부를 하지도 못하는 상황' 때문이었는데, 호주에 오고 나서 상황이 많이 달라졌다. 일은 덜 하는데 돈은 더 많이 벌게 된 것이다.

호주는 천국인가요?

남편의 근무 시간은 9시부터 4시 30분까지. 그리고 금요일 하루는 5시까지 일하며 주에 38시간을 채울 수 있었고, 실수령액이 300만 원 중반 정도 되었다. 우리 둘 다 아일랜드에서보다 총 근무 시간은 줄었지만 급여는 약 1.5배 정도 오른 것이었다. 역시 호주였다. 호주에 가면 돈을 많이 벌 수 있다는 소문은 거짓이 아니었다. 게다가 생활 수준도 아일랜드보다 호주에서 훨씬 만족스러웠으니, 그 이유는 크게 3가지였다.

첫째로, 우리 부부만 사는 집이 생겼다. 아일랜드에서는 감당할 수 없는 집값 때문에 셰어 하우스를 했는데, 극 내향적인 나의 성격상 낯선 이들과 그렇게 잘 어울리는 성격이 아니라서 거실에도 몇 번 나가본 적이 없었다. 그런데 호주에서는 우리만 있다. 샤워하고 벌거벗고 나와도 남편이 거실 한복판에서 엉덩이춤을 춰도 불편하거나 거리낄 것이 전혀 없었다. 들어갈 때마다 하우스 메이트들의 눈치를 봤던 더블린과는 달리 마음껏 편하게 쉴 수 있는 공간이 있다는 것 자체만으로 안정감이 들었다.

둘째는 제법 큰 한인마트가 여러 개 있다는 점이다. 아일랜드 더블린에는 괜찮은 한인 마트가 두세 개뿐인데, 그마저도 규모도 작고 가격도 비싸서 마음껏 장보기가 어려웠다. 그런데 멜버른 시내에 있는 마트에는 물품에 따라 한국보다 가격이 저렴한 것도 있었다. 게다가 '이게 호주에 있다고?' 하는 생각이 들 만큼 다양한 물건들이 많아 웬만한 재료는 다구할 수 있었다. 떡볶이부터 고등어까지 내가 원하는 대로 먹을 수 있다는 점이 너무 좋았다. 먹는 것이 하루의 8할을 차지하는 나이기에, 멜버른 한인마트의 존재는 아일랜드에서의 먹어도 먹어도 허기진 생활을 해야 했던 내게는 축복과도 같았다.

셋째는 생활 패턴의 안정화였다. 더 이상 학원에 다니지 않아도 되어 오전 시간을 자유롭게 사용할 수가 있었다. 주 단위로 스케줄을 받아 일을 했던 더블린과는 달리, 호주에서는 정기적인 시간에 일을 하다 보니 내가 원하는 대로 시간 계획을 세울 수 있었다. 더블린에서는 혼자 일할 수 있고 많은 사람들과 얘기를 할 수 있다는 것은 좋았지만, 현장 근무였기에 내가 일하기 싫은 시간이나, 아니면 생각보다 과도하거나 혹은 적은 스케줄을 받을 때가 있었다. 그런데 이게 제법 스트레스여서 연말이나 크리스마스 같은 이벤트 날에는 스케줄 문제로 매니저와 약간 다투기도 했다.

하지만 멜버른에서는 유학원 원장님과 반 교대근무처럼 일했다. 내가 먼저 아침에 출근해서 일을 하고 있으면 두세 시간 후에 원장님이 출근했고, 나보다 세 시간 정도 원장님이 늦게 퇴근하셨다. 상사였던 원장님과 겹치는 시간이 두세 시간뿐이니 근무 환경의 자유로움 또한 좋았다.

여러모로 호주에서의 초반 생활은 가히 천국이라고 느껴질 정도로 좋았다. 아일랜드에서 문제가 되었던 것들이 호주로 넘어오면서 대부분 해결이 되었다. 두 번의 주급을 받아 첫 월급을 완성하니, 우리가 매달 200만 원 정도를 저축할 수 있다는 계산이 나왔다. 그렇게 아껴 살지 않아도 된다! 아일랜드에서는 많아야 50만 원을 겨우 모을 수 있었는데 200만 원이라니, 무척 감격스러웠다. 나는 매달 200만 원씩 저축하는 '호주 1년 프로젝트'를 야심 차게 계획해 블로그에 올리기도 했다.

이게 가능했던 이유는 호주의 높은 임금 덕이었다. 특히 캐주얼로 근무하는 남편 덕에 제법 많은 돈을 저축할 수 있었다. 호주의 근로 형태는 풀타임, 파트타임, 그리고 캐주얼로 나뉜다. 풀타임과 파트타임은 고용주가 노동자에게 월별로 일정한 시간을 보장해야 하고 고정적인 급여를 지급해야 하며 연차가 발생한다. 풀타임은 근로시간이 38시간 이상이지만, 파트타임은 그보다 적은 시간을 일한다는 것이 다르다. 캐주얼 계약은 우리나라에서 생각하는 파트타임과 유사하다. 주 몇 시간 이상의 근무가 보장되지 않고, 고용주의 필요에 따라 스케줄을 맞춰야 한다. 연차가 누적되지 않으며 고용 기간에 대한 보장이 없기 때문에 고용주 측에서 원하면 언제든지 해지가 가능한 계약이다. 단, 고용 안정성이 낮기 때문에 최저시급이 풀타임과 파트타임에 비해 25% 더 높다. 파트타임이었던 나와는 달리 남편은 캐주얼로 근무하면서 풀타임을

우리는 멜버른이라는 도시가 좋았다. 능력만 되면 얼마든지 돈을 벌며 행복하게 살 수 있는 곳, 그곳이 바로 멜버른이었다.

일했기 때문에 꽤 많은 돈을 받았다. 다만, 캐주얼이라 연차는 따로 없어서 하루 쉬면 그날 일당은 없었다.

당시 남편의 하루 일급을 계산해보면 약 20만 원 정도였다. 세전 기준이라서 세후로 계산하면 한 달에 약 330만 원 정도를 받은 셈. 한국 대기업에 비할 것은 아니지만 공무원과 파트타임을 전전하던 우리에게 둘이 합쳐 500만 원이 넘는 이 금액은 절대 적지 않은 돈이었다.

호주 어때? 우리 여기 이민 올까?

급여 수준이 만족스럽고 근무에 대한 만족도가 올라가자, 우리는 슬그머니 호주 이민에 관한 이야기를 했다. 주말이면 우리는 종종 카페에 가서 여러 가지 주제로 부부 토의를 하곤 했는데, 멜버른 생활 초반에 주로 했던 대화는 '호주에서 오래 살게 된다면 어떻게 해야 할 것인가?'에 관한 것이었다. 그리고 자연스럽게 나온 선택지는 대학원이었다. 대만 석사가 좌절된 후 우리는 일단 아일랜드로 갔지만 남편은 대학원에 입학하겠다는 목표를 놓지 않았다. 항상 대학원에 가고 싶어 했고 더블린에서부터 계속 준비했다.

만약 그가 호주에서 대학원을 간다면 나 또한 배우자 비자를 받을 수 있었기에 객관적으로만 본다면 제법 괜찮은 계획이었다. 배우자 비자로는 풀타임 근무도 가능했고, 남편이 졸업하고 나면 졸업생 비자로 최소 2년 이상 더 거주가 가능했으니, 애초에 우리가 원했던 몇 년 간의 해외살이는 가능할 것 같았다.

무엇보다 멜버른이라는 도시가 좋았다. 날씨가 맑은 날에는 화창한 하늘을 보며 산책하기에도 좋았고, 비싼 외식 물가 때문에 음식을 자주 사먹기엔 어려웠지만, 어떤 식재료든지 구하기가 쉬워 둘이서 맛난 음식을 만들어 먹기도 좋았다. 유럽처럼 놀러갈 만한 주변 국가가 없다는 건 좀 아쉬웠지만 호주라는 대륙 자체가 워낙 커서 호주여행만 내내 다녀도 충분할 것 같았다. 캥거루도 보고 왈라비도 보고, 코알라도 보고 싶었다. 새파란 호주의 바다를 보며 해변을 거닐고, 돈을 많이 벌어서 집도 사고 싶었다.

게다가 호주는 최저 임금이 세계에서 가장 높고 노동권이 강한 나라다. 자신이 능력만 있다면 얼마든지 돈을 많이 벌 수 있는 곳이다. 물론, 세금도 높은 편이긴 했지만 그건 선진국이라면 어디를 가든 비슷하기에 크게 개의치 않았다. 남편은 공무원을 그만두기 전부터 독학해왔던 데이터 관련 전공을 하고 싶어 했고 그 분야에 취직한다면 제법 괜찮은 연봉의 일자리를 잡을 수 있을 것이라 생각했다. 그러면 이방인인 우리도 여기서 자리를 잡고 잘 살 수 있지 않을까.

그즈음의 우리는 호주 이민에 관해 꽤나 진지하게 이야기를 하고 있었다.

정말 지긋지긋해. 그놈의 돈돈돈!

남편은 호주의 대학원에 가고 싶어 했다. 호주의 '아무' 대학원이라도. 공무원을 그만둔 지 1년이 가까워지는데 원래 목표였던 대학원 입학을 아직 못 했다니. 그의 마음이 얼마나 초조한지 알기에 나도 남편이 호주의 대학원에 진학하는 데 처음엔 동의했다. 그런데 나만 몰랐던 사실이 하나 있었다. 호주 학비가 엄청나게 비싸다는 것. 그럼 장학금을 노려보는 것은 어떨까. 대만은 학비 전액 무료에 생활비까지 얹어준다고 했다. 나는 '호주 석사 장학금'을 검색해봤다. 하지만 절망스러운 내용이었다. '호주는 유학생을 위한 장학금이 적다. 성적이 좋아 아무리 많이 받아도 30%를 넘지 못한다.' 심지어 남편의 학부 때 성적은 그리 좋지도 않다.

엉망진창인 남편의 학점으로 보아 장학금을 전혀 받지 못할 가능성이 크다. 호주의 학교 학비는 1년에 약 3천 5백만 원, 총 2년이니 학비에만 7천만 원 가까이를 써야 했다. 정말이지 당황스러운 금액이었다. 수중에 3천만 원도 없는 우리에게 7천만 원은 어림도 없어 보였다. 게다가 우리는 매달 주거에만 160만 원에 달하는 액수를 지출해야 하는데, 남편이 학교를 다니면 일을 줄여야 할 것이다. 그럼 급여도 절반 수준으로 떨어질 것이고, 그렇게 되면 내 인생의 반은 포기하고 쓰리잡을 해도 될까 말까다.

불가능해 보이는 이 시나리오를 가능케 하려면 방법은 두 가지였다. 첫째는 부모님의 경제적 지원. 나는 총 3년이 채 안 되는 기간 동안 일을 하며 재테크를 했다. 부동산과 기타 등등의 자산을 사고 따로 남은 돈은 2천만 원이 채 되지 않는다. 그 중 아일랜드로 갈 때 천만 원을 가지고 갔다. 더블린에서는 열심히는 살았지만 많이 못 모으는 탓에 최종적으로 남은 돈은 많지 않은 상태였다. 지금부터 바짝 모을 생각이었는데, 호주 학비를 감당하려면 부모님의 지원 없이는 도저히 불가능했다.

둘째는 무조건 장학금을 받는 것. 호주에서 장학금을 받는 일이 쉽지는 않지만, 코로나의 여파로 학생이 많이 줄어 가능성이 없지는 않다 생각했다. 하지만 그건 그저 우리만의 생각이었다.

'아무래도 안 되겠다'며 나는 결국 돌아섰다. 도저히 길이 안 보였다. 그런데 남편은 호주 대학원에 무척 가고 싶었는지 꽤 세세하게 계획을 세웠다. 학비는 2년에 5천만 원 이내로 잡고 이 중에서 절반은 부모님의 도움을 받고 절반은 우리가 번다는 것이었다. 남편이 월 200만 원을 번다고 가정하면, 내가 근무시간을 늘려서 300만원을 벌고 생활비를 300만 원 이내로 줄인 다음, 월 200만 원씩 열심히 모아 학비로 내야한단다. 그러면 된단다.

나는 남편 말이 끝나자마자 얼굴을 잔뜩 찌푸렸다. 굳이 비싼 나라에서 비싼 학교를 가겠다며 힘들게 일하시는 부모님께 학비를 보태 달라고 하겠다니. 그의 초조한 마음을 모르는 것은 아니었지만 이제 와 부모님께 손 벌리는 것, 그것만큼은 아니라고 생각했다.

우리는 이 문제로 매일같이 다퉜다. 그렇다고 남편의 도전조차 막을 수는 없었다. 장학금을 기적적으로 받게 될 수도 있으니 웬만한 대학에는 다 지원을 해보기로 했다(호주 대학원 지원비는 무료다). 남편은 멜버른 내에 있는 가능한 모든 대학에 지원했고, 그 대학들의 장학금 또한 신청했다. 다행히 한국에서 공인영어성적을 만들어 두었던 덕에 석사 과정에 지원하는 것은 어렵지 않았다. 지원을 하고서는 그저 기다렸다. 남편은 발표 시점이 아닌데도 계속 메일함을 열어보았고, 나는 그런 남편을 보면서 제발 장학금의 기적이 일어나기를 바랐다.

얼마간의 시간이 지나고 지원했던 대학원 결과들이 하나둘 나오기 시작했다. 입학이 쉽고 졸업이 어려운 호주 대학 특성상 대부분의 대학들에 합격하기는 했다. 하지만, 역시나 문제는 장학금이었다. 내가 두 손 모아 바랐던 장학금의 기적은 일어나지 않았다. 어떤 학교에서는 학기마다 20% 정도의 학비를 면제하는 방식으로 장학금을 주겠다 했지만, 그래도 6천만 원이 넘는 돈이었다. 그나마 현실적인 대안은 30%의 장학금을 제안했던 한 공대였는데, 그래도 학비가 5천만 원 가까이 되었다.

남편과 나는 이 문제로 끊임없이 다퉜다. 남편은 대학원에 가면 호주에도 남을 수 있어 결국에는 학비가 비싸지 않은 것이라 했다. 그래. 우리가 호주로 이민을 오기로 작정을 했었다면 나도 동의할 만 했다. 호주에 고작 몇 달밖에 살지 않았지만 살기 좋은 곳임을 충분히 알 수 있었으니까. 하지만 이 모든 이야기의 끝에는 '최소 5천만 원'이라는 돈 문제가 버티고 있었다. 호주 이민도 확신할 수 없는 상황에서 나는 부모님께 손을 벌리기 싫었다. 그리고 남편에겐 미안하지만, 남편 학비 뒷바라지를 위해 성공이 보장되지도 않는, 호주에서도 그리 높은 수준이 아닌 어느 외곽지역의 공대에 몇 년의 고생을 쏟아 붓고 싶지 않았다.

애초에 가진 돈이 별로 없어서 대만 유학을 가려고 했던 것인데 갑자기 몇 천 만원의 학교에 간다니. 나는 여러 사람을 고생길로 밀어 넣는 것 같은 남편이 미웠고, 그는 자신의 조급함을 이해해주지 못하는 내가 미웠을 것이다. 그렇지만 최소 5천만 원이라는 학비가 정해지고 나자 남편도 호주 대학원 진학을 고집하지 못했다. 우리 부부에게 딱 맞을 수도 있는 곳이라 여겼던 호주. 하지만 지긋지긋한 돈이 결국 우리의 발목을 잡았고, 그 즈음 또 다른 문제가 생기고 있었다.

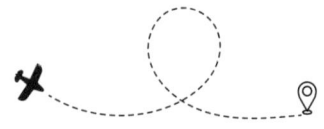

이렇게 살려고
호주에 온 건 아닌데

정식으로 출근한 지 두 달째 됐을 때, 대학원 문제에 더해 남편에게 위기가 찾아왔다. 그는 잘 다니는 줄 알았던 회사에서 제법 스트레스를 받는 듯했다. 그 회사는 코로나 이전에는 좀 더 큰 규모였지만, 요식업계가 코로나의 직격탄을 맞으며 규모가 많이 줄어든 상황이었다고 한다. 그러다 코로나가 조금 진정되고 국경이 다시 개방되기 시작하면서 채용을 다시 시작했고, 그러면서 남편이 들어왔던 것이다. 문제는 회사는 다시 활기를 띠고 일이 늘어났지만, 근무 인원은 그대로였고, 이미 과부하가 걸려 있던 남편은 조금씩 지치기 시작했다.

남편의 업무는 그야말로 '전부'였다. 직원들의 급여, 신규 직원 계약, 현장 업무 지원, 그리고 허드렛일까지. 사기업에서 일해본 적 없던 남편이 갑자기 호주에서 직원들의 급여를 관리하려니 어려움이 많았던 모양이다. 호주 세율, 연차 적립, 노동 규정 등을 갑자기 배우고 적용해야 하는데, 규정 자체도 어려운데 그것도 다 영어로 해야 하다니. 게다가 인력 부족으로 사무실에서 일하다가 현장에 일이 있으면 달려 나가 지원을 해야 했고, 한쪽의 일이 마무리되지 않으면 이쪽에서 채이고 반대쪽에서 채였다. 임원이 넷인데 직원은 본인 혼자이니 온갖 잡일까지 감당하느라 정신이 없었다고 했다. 그 와중에 근무 시간도 늘어나서 남편은 어느새 부턴가 주말에도 출근을 해야 했다. 몸도 마음도 빠르게 지쳐가고 있었다.

괜히 온 걸까, 호주

게다가 대학원 학비 문제가 생각대로 풀리지 않자 남편의 고민도 더 깊어졌다. 그는 어떻게든 대학원에 가고 싶어 했고 어디든 입학을 위해 호주를 떠나야 한다면 그 또한 감내할 생각이었다. 문제는 당장 호주를 떠나서 갈 수 있는 곳이 없었다. 우리는 불과 몇 달 전, 남은 더블린의 비자 기간을 포기하고 호주로 온 것이다.

시간이 갈수록 남편은 자신이 한 선택들을 후회하기 시작했다. 대학원에 대해 좀 더 진지하게 생각하지 않고 무작정 호주로 온 것, 괜찮은 학교들을 리스트업해서 오래 준비하는 여유를 갖지 못했던 것. 29살, 30살이라는 숫자적인 나이에 너무 집착했던 탓에 빨리 진학할 수 있는 대학원만을 고집했던 것. 그러다 결국 여태 아무 데도 가지 못했는데, 겨우 온 호주는 학비가 어마어마하게 비싸다. 이러다가 대학원도 못 가고 계속 일만 하다가 다시 한국으로 도망치듯 가는 것은 아닐까. 고민이 이만저만이 아니었다. 게다가 일도 너무 힘들었다. 그의 직속 상사는 퇴근 후에도 전화를 해서는 잔소리를 하기도 했다.

어느샌가 호주가 너무 좋다고 즐거워했던 우리는 온데간데없었다. 일을 마치고 집으로 돌아온 남편은 굉장히 지쳐 있었다. 그래도 퇴근하자마자 노트북 앞에 바로 앉기는 했지만, 피곤한 듯 고개를 꾸벅이기 일쑤였고 침대에 누우면 바로 기절하듯 잠들었다. 옆에서 보는 나도 마음이 편치 않았다. 진지하게 고민도 했다. 만약, 남편이 호주에서 대학원을 간다면 이 모든 문제가 해결이 될까? 하지만 당장 학비를 해결한다고 해도 남편은 최소 주 20시간 이상은 일을 하고 남은 시간을 겨우 학업에 할애할 수 있다. 애초에 전공이 아니었던 데이터 분야로 진학하는 거라 공부에 많은 시간을 쏟아야 할 텐데 지금처럼 일에 치여 제대로 공부를 못 할 것 같았다.

고민하는 남편을 보며 뭔가 결단을 해야겠다고 생각했다. 남편의 직장을 조금 더 나은 곳으로 바꾸던가, 돈을 많이 버는 지금 회사에서 내년 초까지 버티며 학비를 마련하던가, 아예 다른 나라의 대학원에 지원해서 입학하거나, 이 셋 중에 하나를 선택해야 이 악몽도 끝이 날 것 같았다.

호주 워킹홀리데이 vs 말레이시아 대학원

우리는 1번과 3번 선택지를 동시에 잡아보기로 했다. 남편은 바로 집 근처에 있는 쇼핑몰에 있는 몇 군데에 이력서를 냈다. 그 중 셰리단Sheridan이라는 침구류 판매점에서는 면접까지 볼 수 있었다. 나중에 보니 제법 회사 규모가 큰 곳이었고, 여러 의류 회사들과 그룹으로 맺어져 있어서 일하게 될 경우 직원 혜택이 제법 좋았다. 게다가 급여도 지금 다니는 회사 수준으로 맞춰 주었고 근무 시간도 원하는 만큼 할 수 있었다.

그리고 동시에 입학이 최대한 빠른 호주 외 나라들의 대학원도 적극적으로 찾았다. 데이터 분석을 공부할 수 있고 영어 수업이며, 학비가 저렴한 곳을 발견하면 바로 지원했다. 그중 가능한 선택지가 하나 나왔다. 바로 말레이시아였다. 당장 그

해 10월에 입학이 가능했고 학비도 생활비도 저렴했다. 합격은 100% 되는 곳이었다. 다만, 우리에겐 가본 적도 없는 생소한 국가여서 막상 결정하기는 쉽지 않았다.

얼마 후 합격했다는 연락과 함께 고용계약서를 메일로 받았다. 자, 이제 1번과 3번 모두 선택할 수 있게 되었다. 1번을 선택하면 호주에서 돈을 더 모으면서 내년에는 호주 대학원 입학을 노려볼 수도 있었다. 3번을 선택하면 호주는 포기해야겠지만 남편의 오랜 숙원인 대학원 입학을 최대한 빨리할 수 있었다. 그러나 두 개 중에서도 선택은 쉽지 않았다. 우리는 최종 결정까지 아주 긴 대화를, 아주 많이 했다.

호주에서의 2022년 7월은 심리적 격변의 시기였다. 고민할 것이 너무 많았다. 그 어떤 것도 쉽사리 결정하기가 어려웠다. 과거의 모든 선택들이 후회될 때도 있었고 대체 어떤 선택을 해야 우리가 잘 살아남을 수 있을지, 무슨 길을 선택해야 할 지 한 치 앞을 내다보기가 어려웠다. 게다가 우리는 각자 생각하는 방향성에 조금 차이가 있었다. 남편이 큰돈을 내고서라도 호주 대학원을 생각했던 이유는 해외에서 최소 10년 이상 살 생각을 하며 말한 것이었다.

하지만 나는 몇 년의 해외 생활이 끝나면 한국으로 돌아가

자리를 잡고 싶었기 때문에 그의 의견에 전적으로 동의하지 못했다. 나에게 해외에서의 생활은 하나의 경험이었고, 새로운 생활에 대한 도전이었다. 하지만 해외에서 평생 살고 싶지는 않았다. 부모님과 너무 멀리 떨어져 있고 싶지 않았고, 친구들과 보고 싶을 때 볼 수 있는 곳에 어울려 살고 싶었다. 반면 남편은 자신이 배울 것이 많고, 일할 수 있는 기회가 많고, 더 넓은 세상을 볼 수 있는 곳에 오랫동안, 최소 10년 이상은 살고 싶다는 생각을 했기에 우리는 쉽게 합의점을 찾지 못했다.

나에게 가장 중요한 것은 '부모님께 손을 벌릴 만큼 큰돈을 학교에 안 쓰는 것'이었고, 남편에게 우선시 되는 것은 '최대한 빠른 입학'이었다. 그래서 나는 그의 빠른 대학원 진학을 위해 현재의 안정적인 호주 생활을 포기하기로 했고, 남편은 비싼 호주 대학원을 놓기로 했다. 학비도 저렴하고, 생활비도 저렴한 곳, 그리고 당장 그 해 입학할 수 있는 곳. 결국 우리의 선택은 말레이시아였다.

우리는 그렇게 아일랜드에 이어 호주도 일찍 떠나게 되었다.

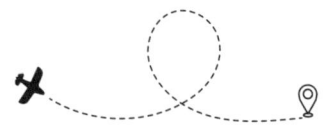

당장 2주 뒤에 떠나야 한다니, 이게 무슨!

말레이시아에 가기로 결정한 것은, 멜버른에 온 지 겨우 4개월이 된 시점이었다. 호주에서의 남은 기간이 아쉽기는 했다. 하지만 당장의 1년, 2년이 매우 중요한 우리는 빠른 결정과 선택을 해야 했다. 떠나자고 마음을 먹고 나니 또 한편으로는 마음이 가벼웠다. 이제는 더 이상 남편의 대학원 문제로 머리 뜯지 않아도 되었으니 말이다.

말레이시아 대학원에 지원한 결과가 나오지 않았지만 인터넷을 보니 합격은 그냥 하는 것이었다. 오죽하면 구글에 '말레이시아 석사 합격 가능성'을 검색해봤을 때 '매우 쉬움'이라고 나오겠나. 그래서 결과가 나오면 호주에서 바로 말레이시아로 넘어가자고 했다. 그런데 알아보니 말레이시아 학생비자를 반드시 한국에서 받아야 한단다. 그럼 입학이 10월이니 9월 초에는 한국에 있어야 했다. 항공권을 보니 8월 말 즈음이 가장 저렴했다. 그래서 우리는 8월 말, 호주를 떠나기로 했다.

　호주 생활을 정리하는 데 가장 큰 문제는 집이었다. 1년 동안 계약한 집에는 우리가 호주에 오래 살 요량으로 꽉꽉 채워 넣은 가구들과 집기들이 있었는데, 이를 따로따로 처리하기는 힘들어서 한꺼번에 승계할 사람을 찾아야 했다. 시티도 아니고 월세가 저렴한 것도 아니다. 게다가 남이 쓰던 가구며 물건도 다 사야 한다니. 조건 자체가 부담스럽다 보니 이어받을 사람 찾는 것부터 난관일 듯했다. 우선 한인 커뮤니티에 글을 올렸는데 별 반응이 없었다. 역시나 테이크 오버 Take-over · 승계가 쉽지 않았다. 이러다 집 때문에 말레이시아에 가지 못할 수도 있겠다는 느낌이 들 정도로 감감무소식이었다.

　좋은 집이라 웬만하면 한국인에게 넘겨주고 싶었는데 이대로라면 8월 말에 떠날 수도 없겠다 싶었다. 외국인까지 범위를 넓혀 승계자를 찾기로 했다. 벼룩시장 사이트와 유사한 검트리 gumtree.au라는 사이트에 글을 올렸다. 범위를 넓혀도 승계 조건이 까다로우니 어렵겠지 싶었다.

그런데 글을 올리고 얼마 지나지 않아 문의가 빗발치기 시작했다. 하지만 역시, 가구 및 집기 가격을 반절 이상 깎으려는 사람들이 많았고, 몇몇은 일부만 사고 싶어 했다. 그러다 태국 학생이 인스펙션을 왔는데, 그녀는 곧바로 인수받고 싶다는 의사를 보였다. 가구와 집기를 모두 인수받는 조건이었는데도 전혀 거리낌 없이 승계를 원했다. 가격도 깎으려고 하지 않았다. 하지만 다른 문제가 있었다. 본인이 지금 집이 없다며 가장 빠른 시기에 입주하고 싶다고 했다. 그러고는 당장 2주 뒤에 입주할 수 있는지를 물었다.

'아, 2주 뒤는 예상보다 너무 빠른데.' 곤란했다. 그러면서도 인스펙션에 지쳐있던 우리는 앞으로 이렇게 쿨한 승계자를 다시는 만나지 못할지도 모른다는 걱정이 들었다. 동시에 막상 2주 후에 떠나야 한다니 상당히 아쉬웠다. 하지만 이 기회를 그냥 놓칠 수는 없었다. 무엇보다 우리만 오케이하면 되는 것이 아니라 이 학생이 승계 지원서를 내고, 집주인이 승낙을 해야 하기 때문에 일단 지원해보라고 말해주었다. 그 학생은 집으로 돌아가는 길에 지원을 했다.

이제 하던 일을 그만둬야 했다. 유학원 원장님께 죄송하지만 호주를 일찍 떠나게 되었다고 말씀드렸다. 원장님은 아쉬워하시며 당시 사람 구하기가 쉽지 않아 나를 붙잡으셨다.

감사하게도 내가 일을 정말 잘했다고 말씀하시며 혹시나 떠나는 날까지 후임자가 구해지지 않으면 한동안 온라인으로 일해 줄 수 있냐는 제안도 하셨다. 급여는 회사에서 일하던 때와 동일하게 주겠다고. 내 입장에서는 안 할 이유가 없는 제안이었기에 그러겠다고 말씀드렸다.

1주일이 지났을까. 어느 날 갑자기 집주인이 승인했다는 연락과 함께 다음 주 월요일, 즉 4일 후에 집을 비워줘야 한다고 했다. 떠날 준비를 하고 있기는 했지만, 막상 4일 후에 떠나려니 정신이 없었다. 남편은 그날 당장 회사에 죄송하다는 말과 함께 퇴직 의사를 전달했고, 사장님은 아쉬워하셨지만 괜찮다고 이해해주셨다. 이렇게 급한 일은 모두 정리가 되었다.

우리는 8월 초에 호주를 떠나야 했지만, 그때까지도 멜버른에서 제대로 된 관광 한번 한 적이 없었다. 그래서 급하게 패키지 관광하듯 멜버른을 여행했다. 호주에서 꼭 가봐야 한다는 명소 중 손에 꼽히는 그레이트 오션 로드도 다녀왔다. 그렇게 어느 정도 멜버른에 대한 아쉬움을 달래고 나서는 바로 항공권을 찾았다. 그런데 문제는 한국으로 바로 가는 편이 너무 비쌌다는 것. 싱가포르를 경유해 한국으로 가는 노선이

급하게 멜버른을 떠나기로 하고 여행을 떠났다. 그레이트 오션 로드를 달리며 우리는
또다시 새로운 미래를 꿈꾸었다.

었는데 가격이 여간 부담스러운 것이 아니었다. 게다가 예상보다 한 달이나 일찍 한국으로 들어가면 말레이시아에 가기 전까지 최소 두 달 이상이 남는다. 그 기간 동안 부모님 댁에 얹혀살기도 애매했다. 그래서 우리가 급하게 찾은 선택지는 베트남이었다. 우선 멜버른에서 가깝고 물가도 저렴했다. 비행기 값도 아낄 겸 시간도 때울 겸, 겸사겸사 호찌민 한 달 살기를 결정했고 항공권을 끊었다.

아일랜드를 떠날 때는 아쉬움도 있었지만 기대감이 더 컸다. 그런데 아무리 남편의 대학원 입학을 위해서라지만 워킹홀리데이 비자를 반절도 못 채우고 급히 떠나는 호주를 떠날 때는 그 아쉬움이 너무나 컸다. 지긋지긋한 고민 하나를 끝냈다는 약간의 시원함만 있을 뿐, 섭섭함이 가득했다. 이민까지 생각했던 호주였는데, 이제 막 적응하며 살고 있었는데. 게다가 말레이시아는 가 본 적도 없고, 동남아에서는 살아본 적이 없었기에 앞으로 어떤 미래가 올지 감을 잡기가 어려웠다. 말레이시아에 대한 걱정과 호주에 가득히 남은 미련을 안고, 우리는 베트남 호찌민으로 들어가는 비행기에 올랐다.

Tips & TMI
호주 워킹홀리데이에 관해 궁금한 점 몇 가지

호주는 워킹홀리데이로 유명한 국가이다. 많은 국가들이 연간 300명, 1,000명 등으로 워킹홀리데이 인원 제한을 두고 있는 것에 반해, 호주는 별도의 인원 제한 없이 대부분의 신청자를 받아준다. 게다가 호주는 최저 시급이 전 세계에서 가장 높은 나라여서 돈을 벌기 위해 많은 사람들이 호주로 몰려든다. 영어를 사용하는 국가이기에 생활 속에서 영어를 배울 수 있다는 큰 장점도 있다.

Q. 호주 워킹홀리데이 비자는 어떤가요?

A. 호주 워킹홀리데이 비자는 만 30세 미만이라면 받기 쉬운 비자 중 하나이며, 대체로 빠른 시간 안에 처리되는 편이다. 신청 절차도 간편하다. 게다가 다른 나라의 워킹홀리데이 비자들과 달리 특정 직장에서 일정 기간 이상 일하면 워킹홀리데이 비자를 연장할 수도 있다. 영국의 YMS가 처음부터 2년인 것과 다르게, 호주는 연장의 개념인데 특정 조건 만족 시 2년까지 연장 가능하다. 조건만 충족한다

면 최대 3년 동안 호주에서 체류할 수 있는 것이다. 해당 조건은 지역, 직종에 따라 달라지기 때문에 호주 이민국 사이트 등을 참고하는 것이 좋다.

몇 가지 제약사항은 있다. 어학원에 다닐 수 있는 기간이 정해져 있으며 한 고용주 밑에서 6개월 이상 일할 수 없다. 이는 일이나 공부보다는 '홀리데이'에 집중해야 한다는 워킹홀리데이 비자 특성을 최대한 반영하려는 정책으로 보인다.

Q. 호주에 입국하자마자 신청해야 할 것은 무엇인가요?

A. 아일랜드와 비교를 하자면, 아일랜드에서는 입국하자마자 가능한 한 빨리 IRP를 신청해야 했는데, 호주에는 별도로 체류 자격이나 체류증을 신청할 필요가 없었다. 아일랜드에서는 IRP 카드라는 실물 신분증을 받지만 호주에서는 여권만 있으면 된다. 왜냐하면 호주는 입국하기 전에 비자와 관련된 절차를 모두 마무리하고 입국하는 것이고, 아일랜드는 입국 후에 마무리를 하는 것이기 때문이다. 실물 신분증을 원한다면 호주 각 주에서 발급하는 운전면허증을 신청할 수는 있지만 의무 사항은 아니다.

하지만 아일랜드의 PPSN과 유사한 TFNTax File Number은 신청해야 하는데, 이는 근로자의 개인 고유 세무 번호라고 생각하면 된다. TFN을 기반으로 세금을 납부하고 세금 환급 등의 절차를 처리한다. 마찬가지로 TFN이 없이 일하면 중과세된 세금을 납부해야 하며, TFN 발급 이후 연말에 환급 신청이 가능하다. 아일랜드의 PPSN과 다르게 일주일이면 호주 TFN이 발급되고, 간편하게 온라인으로 신청 가능하므로 입국 후 거주지가 확정되면 바로 신청하는 것이 좋다. 우편으로 발급되기 때문에 거주지가 일정하지 않으면 수령하기 어려울 수 있다. 전반적으로 행정 처리가 빠른 편이며 대부분의 행정 업무가 온라인으로 가능하기에 굳이 오프라인으로 방문할 필요는 없다.

Q. 호주에서 집은 어떻게 구해야 하나요?

A. 호주는 집세가 비싼 편이다. 경험상 아일랜드나 유럽에 비해서 저렴하지는 않아도 고를 수 있는 선택지는 많다고 느꼈다. 호주가 워낙 도시들이 넓기에 시내 중심을 고집하지 않는다면 상대적으로 선택지가 많은 편이다. 그렇다고 집을 찾는 것이 쉽다는 것은 아니다. 우리는 셰어하우스가 아닌 렌트 매물을 찾았는데 잔고증명서, 각종 추천서, 근무 경력서 등 요구하는 서류들이 제법 많았다.

우리는 부부여서 집 전체를 렌트했지만, 대부분의 워홀러들은 렌트보다는 하우스 셰어 형태로 많이 거주한다. 한인 커뮤니티 등을 통해 한인 셰어를 구할 수도 있고, 소셜 미디어나 현지 플랫폼을 통해 외국인과의 셰어를 시도할 수도 있다. 하지만 호주는 하우스 셰어에 대해 몇 가지 제약사항이 있기 때문에 관련 내용을 잘 확인해야 한다. 특히 너무 많은 사람이 한 집에 거주하는 곳은 되도록 피하는 것이 좋다.

렌트를 하고 싶다면, 입국 후 2주에서 한 달 정도 지낼 집을 미리 찾은 다음, 그 기간 동안 가능한 많은 곳에 인스펙션(집을 보러 가는 행위)을 신청하고 방문해보는 것이 좋다. 시내 중심부는 경쟁이 매우 치열하므로 대중교통이 잘 되어있는 근교의 집을 찾아보는 것도 좋은 방법이다. 다른 곳에서 단기로 거주하며 가능한 한 빨리 일자리를 찾은 후 고용주에게서 추천 레터를 받는 것도 도움이 될 수 있다. 너무 단기간 일한 근로자에게는 고용주가 레터를 써주지 않을 수도 있으니 유의해야 한다.

Q. 호주에서 은행 계좌 개설하기 어렵나요?

A. 아일랜드에서의 어려웠던 일 중 하나가 은행 계좌 개설이었는데, 호주는 그 문제가 상당히 쉽게 해결되었다. 호주에서 주요 은행

중 하나인 커먼웰스Commonwealth Bank에서는 온라인으로 계좌를 개설하고 지정한 지점에 방문해 계좌 활성화 및 카드 수령을 할 수 있다. 계좌 개설에 2주 정도 소요된다고 하니 호주 입국 2주 정도 전에 온라인으로 계좌 개설을 신청하고, 입국 후 개설 시 지정했던 지점으로 방문하면 빠르게 계좌 활성화와 카드 수령을 마칠 수 있다. 지정했던 지점이 아니라도 계좌 활성화는 가능하지만 카드는 지정한 지점으로 우편 발송이 되어 있을 것이므로 가능하면 신청 시 지정한 지점을 방문하는 것이 좋다. 걱정했던 것이 허무할 정도로 호주에서의 은행 계좌 개설은 간편했다.

Q. 호주의 '캐주얼 잡'은 무엇인가요?

A. 캐주얼 잡에 대해 말하기 전에 호주의 근로 계약 형태에 대해 먼저 알아보자. 호주에는 총 3가지의 근로 계약 형태가 있는데, 풀타임, 파트타임, 캐주얼이라고 부른다. 풀타임과 파트타임은 계약서에 고정된 시간을 명시하고 계약서를 작성하며, 고용주는 피고용인에게 해당 계약서에 명시된 시간만큼의 근무 시간을 보전해줘야 한다. 풀타임은 일반적으로 38시간, 파트타임은 개별 협의에 따라 다르다. 이들은 일종의 정규직으로 연가, 출산휴가, 육아휴가 등 각종 휴가 일수

가 근무 시간에 따라 일정 비율로 적립되며 유급 휴가를 사용할 수 있다. 해고 등에 있어서도 노동법에 따른 절차를 거쳐야 한다.

캐주얼은 풀타임, 파트타임과 달리 정해진 근무 시간이 없으며 38시간을 일할 수도, 10시간을 일할 수도 있다. 이 근무 시간은 유동적이며 고용주가 피고용주에게 보전해줘야 하는 최소 근무 시간 개념이 없다. 우리나라의 아르바이트와 비슷한 형태이며 유급 휴가 또한 없다. 근무 시간에 따라 적립되는 연가, 출산 휴가 등의 개념이 없는 것이다. 또한 고용주는 피고용인을 쉽게 해고할 수 있다. 즉 비정규직에 가까운 셈. 얼핏 보면 무척 부당해 보이지만 이 불안정한 캐주얼들을 위해 호주 정부에서는 캐주얼 형태의 근로자들에게 25%의 임금을 더 줄 것을 법제화했다. 즉 최저시급이 풀타임이나 파트타임보다 25%가 더 높다는 것이다.

이 때문에 워킹홀리데이 비자나 학생 비자로 일하는 사람들의 대다수는 캐주얼 근로 형태를 선호한다. 대부분의 업종이 외식업이나 생산업에서 시간제로 일하기 때문이기도 하고, 해당 업무에서 오래 일을 하려는 것이 아니라 학비, 여행비용 등을 충당하기 위해 단기간 근로하는 경우가 많기 때문이다.

게다가 호주는 노동권이 굉장히 강한 나라여서 초과 근무 등에 대한 추가 수당도 확실히 지급받는 편이다. 예를 들어 주 38시간 이상 일했다면 첫 2시간은 20%, 그다음 시간부터는 50%를 본래 시급에서 추가로 받는다 (해당 비율은 예시이므로, 실제와 다르다). 인건비가 무척 비싼 편이기 때문인지 물가 또한 비싼 편이다. 다른 나라에 비해 외식업 테이크아웃이 상당히 발달한 이유이기도 하다.

Q. 호주에서는 연금에 반드시 가입한다는데?

A. 호주에서는 또한 근로자를 위한 'Superannuation'이라는 것이 있는데, 쉽게 말하면 퇴직 연금 개념이다. 호주에서는 고용주가 근로자에게 근로 보수의 11%만큼을 연금으로 지급해야 하는데, 월 1,000달러를 벌었다면 100달러만큼의 연금을 받는 것이다. 이 연금은 근로자에게 직접 주는 것이 아니라 근로자의 연금 계좌로 입금하고, 근로자는 추후 퇴직하면 해당 계좌에서 연금을 지급받는다. 이 연금은 모든 근로자에게 주는 것은 아니고 최소 근무 시간 등 몇 가지 조건이 있는데, 근무 시간이 엄청 짧은 것이 아니라면 대부분이 해당된다.

워킹홀리데이나 학생비자처럼 장기 체류가 주목적이 아닌 사람들도 연금을 동일하게 지급받으며, 영주권이나 시민권을 받아 계속 거주할 것이 아니라면 비자 만료 후에 환급 받을 수 있다. 다만 연금 계좌에 있는 돈에서 일부만 환급받을 수도 있다.

Q. 호주는 차선이 반대라는데 운전하기 괜찮나요?

A. 개인마다 다르기 때문에 단언하기는 어렵지만 호주에서 처음 운전하는 것이라면 적어도 몇 번의 연습 후 도로에 나갈 것을 권하고 싶다. 또한 호주 교통 법규에 대해 사전 공부를 반드시 하는 것이 좋다. 호주의 많은 한인들은 국제면허증으로도 운전이 가능하다 보니 호주에서 운전을 하는 경우가 많은데, 한국과는 차선도 반대이고 교통 관련 법규나 운전 관행이 다른 경우가 있어 사고가 종종 발생한다.

차선이 반대일 뿐만 아니라 좌회전이나 우회전에 대한 신호 체계도 조금 달라서 유의할 필요가 있다. 게다가 도로 위에 트램도 있기 때문에 당황하기 쉽다. 그리고 멜버른 시내에는 훅턴Hook Turn이라 불리는 특이한 운전법규가 있다. 생소한 이것은 우회전을 하기 위해 좌측 차선을 이용해야 하는 규정이다. 보통 우회전은 가장 우측에서 하는 것이 일반적이지만 멜버른 시내는 트램 노선 등 여러 이유로 훅턴을 시행하는데, 좌측 끝 차로로 가서 사거리 한복판에 멈춘 후, 운전자 기준 우측에 보이는 신호등의 직진 신호에 따라 우회전한다. 갈고리 모양으로 우회전한다고 해서 훅 턴이라고 부르는 듯하다. 흔한 규정이 아니다 보니 멜버른 시내에서 처음 운전하는 사람은 사고가 나거나 위험한 상황이 발생할 수도 있으니 영상을 충분히 보고 주의를 기울여야 한다.

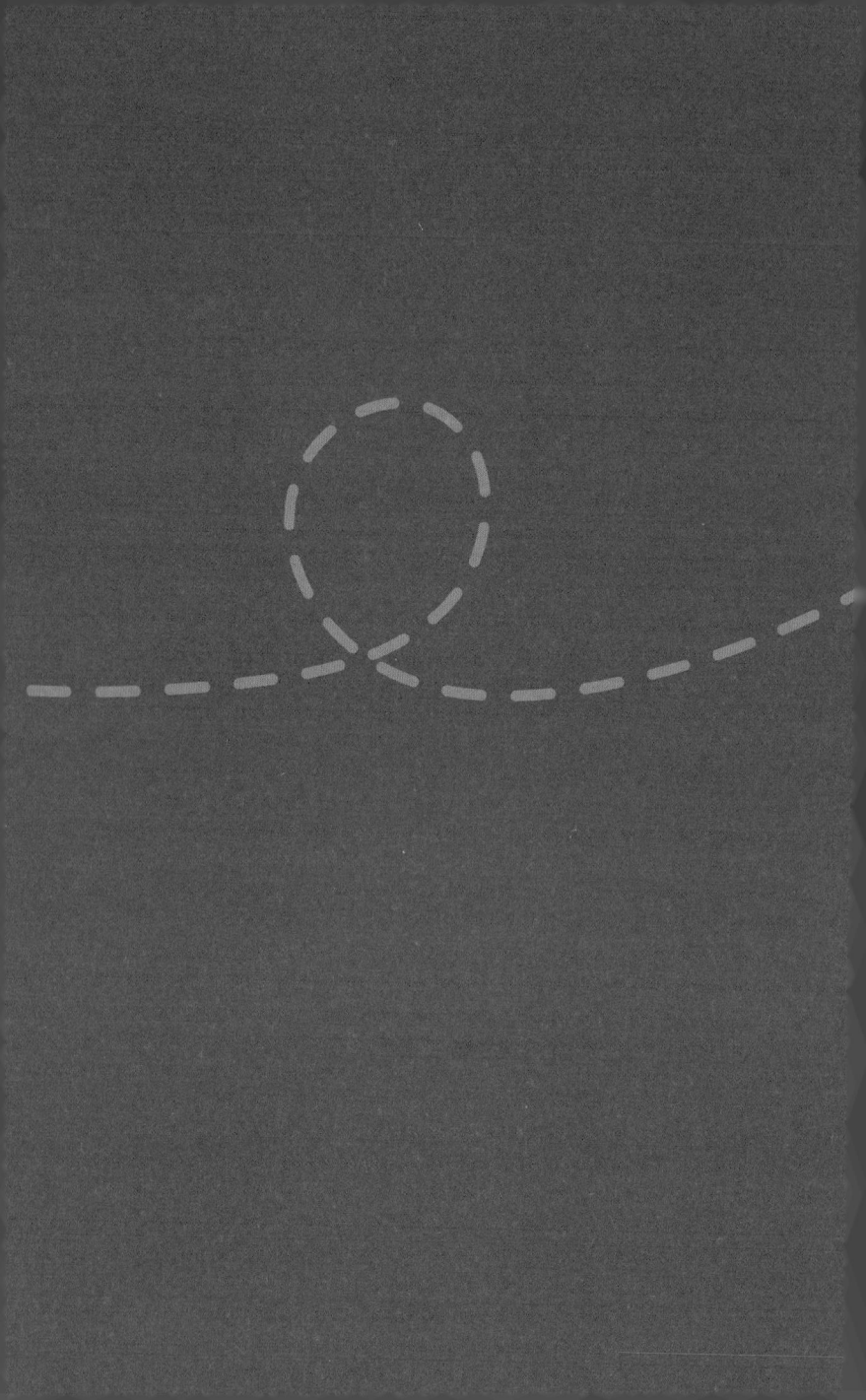

Part 4.

매일이 힐링,
말레이시아 페낭

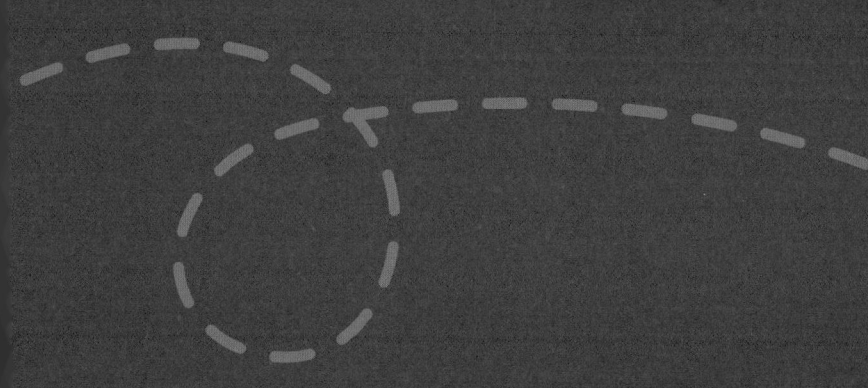

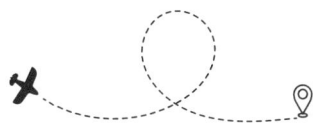

페낭 입국,
첫 단추부터 잘못 끼워졌다

남편의 1년 석사 과정은 2022년 10월 중순에 시작했다. 그런데 말레이시아 학생비자가 발급이 안 되고 있어 우리는 그때까지도 한국에 머무는 중이었다. 다행히 수업은 온라인으로 진행되어 출석에 문제는 없었다.

원래 호주에서 바로 말레이시아로 넘어갈 생각이었지만, 아무 소식이 없는 말레이시아 비자 때문에 호찌민에서 한달살기를 한 후 한국으로 온 것이었다. 보름에서 한 달 정도만 쉬다가 비자가 나오자마자 페낭으로 빨리 넘어갈 계획이었다. 그런데 개강일이 거의 코앞으로 다가왔는데도 비자는 전혀 진행되지 않았고, 이민국에 전화를 하거나 메일을 보냈지만 그 어디서도 명확한 답을 들을 수는 없었다.

비자를 신청한 지 3달이 다 되어 가는데도 나올 기미가 보이지 않아 우리는 조급해지기 시작했고, 서른 살 먹은, 심지어 결혼까지 한 자식들이 각자 부모님 집에 한 달째 머물고 있다는 사실이 우리를 이성적으로 사고할 수 없게 만들었다.

남편이 알아보니, 코로나 이전에는 관광비자로 들어갔다가 말레이시아 내에서 학생비자로 전환하는 것이 안 되었지만 코로나 때는 특수상황이라 그게 가능했었다고 한다. 그런데 코로나가 거의 꺾인 지금은 그 규정이 어떻게 되었는지 나와 있지는 않았다. 여기저기 전화를 해봤지만 들을 수 있는 답은 '잘 모르겠다'였다.

우리는 선택을 해야 했다. 부모님들은 눈치를 주시지 않았지만, 서른 살이나 먹고 부모님 집에서 민폐를 끼치고 있는 우리 스스로가 싫어지기 시작했다. 그렇다고 다른 곳에서 머물며 비자를 기다리자니 돈이 없었다. 호주에서 모은 돈이 있긴 하지만, 앞으로 최소 1년 동안은 일정 수입이 없을 거라 그 돈은 절대 계좌에서 빼낼 수 없었다.

페낭은 한국보다 체류비용이 저렴하니 일단 무비자로 들어갔다가 비자가 나오면 한국이 아니더라도, 근처 가까운 나라에 잠깐 다녀오면 된다고 우리 마음대로 생각하고, 그렇게 말레이시아 무비자 입국을 결정했다. 무비자로도 집 계약은 할 수 있었기에 남편 학교에서 가장 가까운 신축 콘도를 미리 한국에서 계약했다. 가서 집을 보고 구하는 것이 가장 좋겠지만, 이번에는 비자 문제로도 너무 피곤했던 터라 페낭에서는 조금 편하게 시작하고 싶었다. 사기 위험을 줄이기 위해 꼼꼼하게 따져보고, 중개인의 과거 이력도 살펴본 후에 한 달 월세인 계약금을 보냈고, 그렇게 11월 1일로 입주 날짜를 정했다.

비자는 아직도 나오지 않았지만 일단 나가기로 결정하니 한결 마음이 편해졌다.

그렇게 우리는 2022년 11월 1일, 조호바루를 거쳐 페낭에 도착했다. 90일 무비자로. 비자가 걱정되긴 했지만, 그래도 학교에서 해결해 주겠지 하고 생각했다. 그리고 내년까지는 평화로운 페낭에 둘만 있으며 한가롭게 지낼 수 있다며 행복 회로를 돌렸다.

하지만 우리는 몰랐다. 이 한 번의 어리석은 선택으로 인해 우리가 어떤 대가를 치러야 하는지를.

오자마자 다시 한국에 가야 한다니?

페낭에 오기 전, 우리는 한국에서 미리 일 년 동안 살 집을 계약하고 왔다. 오자마자 며칠씩 호텔을 잡고, 중개인과 연락하며 집을 보러 다니고 계약하는 그 과정은 더블린과 멜버른에서 이미 충분히 겪었기에 페낭에서만큼은 조금 편하게 시작하자는 마음에서였다. 그런데 막상 인터넷으로 계약한 집에 가려니 걱정이 되었다. 혹시 사기가 아닐까, 벌레가 나오지 않을까, 사진으론 좋아 보였는데 실제로는 낡지 않았을까. 하지만 공항에서 택시를 타고 바로 달려가서 계약한 집을 보자마자 그 많은 걱정들은 싹 사라졌다.

집 앞으로는 멋진 숲이 펼쳐지고 있었다. 말레이시아의 울창한 숲이 어디에서나 보이는 집이라니. 개안하는 느낌이 들 만큼 시원한 숲을 보니 참 좋더라. 거기에 더해 이것저것 친절하게 알려주고, 웰컴 선물까지 한가득 안겨주는 집주인 덕분에 잠시나마 비자에 대한 걱정을 덜었던 것 같다.

그렇게 2주 정도를 지내고 있을 때였다. 페낭 집에서 먹고 놀고 공부하고 운동하며 남편과 나는 다른 동남아 지역으로의 여행을 계획하던 중이었다. 물론 그때까지도 비자는 무소식이었다. 일 처리가 느리다고 소문난 말레이시아지만, 이제는 더 기다릴 수 없어 학교 비자 오피스에 여러 번 찾아갔다. 거기에 도통 전화를 안 받는 말레이시아 이민국과 비자 진행을 담당하는 EMGSEducation Malaysia Global Service에도 통화를 시도했다. 여러 번의 연결 후 겨우 연락이 닿았는데, 남편은 왠지 상당히 초조해 보였다.

"우리 한국 다시 갔다가 와야 할 수도 있겠는데?"

아니, 이게 무슨 소리야. 페낭에 온 지 아직 보름도 채 되지 않았는데.

남편은 전화로 학생 비자가 아직 안 나왔다, 언제 되느냐고 비자 오피스 직원에게 문의했는데 직원이 이렇게 대답했다고 한다.

"지금 말레이시아에 있나요? 말레이시아 안에 있으면 안 되고, 출국해야 비자 진행이 될 겁니다."

그럼 근처 나라인 태국이나 베트남에 갔다가 오는 것도 되냐고 물었더니, "그건 위험해요. 한국으로 갔다가 비자가 나오면 다시 오는 게 안전한 선택이에요"라는 답이 돌아왔다. 옆 나라에 가는 것도 안 되고 반드시 한국으로 가야 한다니.

"무슨 말도 안 되는 말이야, 에이 한국 안 가도 돼. 여기서 다 해결할 수 있어."

사실 처음에는 가볍게 넘겼다. 여기저기 경유해서 겨우 들어온 페낭인데, 육로입국까지 하는 바람에 고생도 참 많이 했는데, 그렇게 온 보람도 없이 다시 생돈을 써서 한국에 갔다 와야 한다니. 심지어 직항편도 없어 한국에 가려면 경유를 해야 하는 것은 둘째 치고, 1인당 왕복 항공권이 최소 40만 원은 들 텐데. 우리는 도저히 이 상황이 받아들여지지 않았다.

하지만 몇 번이고 다시 확인해도 돌아오는 대답은 같았다.

분명 한국에서 자료를 찾아볼 때는 말레이시아 내에서 비자를 받을 수 있을 것이라고 했다. 설사 그게 안 되더라도 태국이나 베트남에 잠깐 나갔다가 들어오면 된다고 했다. 가족들과 내년에 보자고 아쉬운 작별 인사를 한 것이 2주도 채 안 되었는데……. 이런 것 저런 것 다 제치고 일단 문제는 돈이었다. 호주 워킹홀리데이를 하면서 모았던 돈이 있었지만, 남편이 석사를 하는 1년 동안 학생비자로는 현지에서 돈을 못 벌기에 우리가 모아두었던 호주 달러는 우리에게 유일한 비상금이었다. 이런 상황에서 다시 한국 다녀오는 비용으로 100만 원을 넘게 써야 한다니.

나와 남편은 죄책감과 후회로 괴로워했다. 비자를 얕봤던 우리 스스로가 너무나 미웠다. 개강을 했는데도 비자를 주지 않았고, 전화도 받지 않았던 말레이시아 이민국과 EMGS도 미웠지만 잘못된 선택을 한 것은 결국 우리였다. '비자가 나올 때까지는 움직이지 말았어야지! 이 세상에 둘도 없는 멍청이'라며 우리는 스스로를 끊임없이 자책했다.

하지만 절망하고 앉아 있을 시간이 없었다. 비자 오피스에서 "너희 다음 주까지 말레이시아에서 안 나가면 비자 진행 취소될 거야. 그전에 말레이시아 출국 기록 보내줘야 해." 하고 말했기 때문이다. 우리는 며칠 내로 페낭을 떠나야 했다. 치열하게 고민했다. 그런데 차마 내 손으로 한국으로 가는 10시간 경유 항공권을 끊을 수가 없어서 고민 끝에 결국 다른 선택을 했다.

그렇게 우리는, 또 한 번의 어리석은 결정을 하고야 말았다.

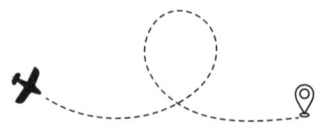

멍청비용 100만 원

학기가 시작했는데도 비자를 도통 안 줘서 일단 말레이시아에 들어왔더니, 그제야 연락이 닿은 EMGS에서는 다시 한국으로 가야 비자를 준다고 한다. 말레이시아에 온 지 2주 밖에 안 되었는데 말이다. 딱히 해결 방법도 없어 나와 남편은 그저 머리를 쥐어뜯으며 괴로워하고, 비자 없이 들어온 것을 후회했다.

한 푼이라도 아껴야 하는 이 시점에 이런 일이 생긴 것을, 비자를 안 줬는데도 학기가 시작해서 어쩔 수 없다며 호기롭게 들어와 버린 우리의 실수를 인정하고 싶지 않았다. 우리는 한국이 아닌 제3국으로 나가는 것은 리스크가 크다는 직원의 말을 듣지도 않고, 한국에 가지 않아도 비자를 받을 수 있을 것이라며 계속 현실을 부정했다. 우리는 결국 한국이 아닌, 페낭에서 가까운 베트남 호찌민으로 나가 머물기로 했다. 방콕과 호찌민 중 고민했지만, 일이 잘 안 풀렸을 때의 한국행을 대비해 항공권이 더 저렴한 호찌민을 선택했다.

우리가 생각한 최고의 일정은 호찌민에서 비자를 기다리다가 나오면 바로 다시 페낭으로 오는 것이었다. 그저 제발 한국에만 갔다 오지 않으면 된다는 마음뿐이었다.

최악이었던 4박 5일의 호찌민

페낭에 오기 전, 호찌민 한 달 살기를 했던 우리에게 호찌민 떤셧녓 공항은 그리 낯설지 않았다. 다만 그때와는 달리 비용을 최소화해야 해서 여행자의 여유로운 마음 같은 건 가질 수 없었다. 숙소는 4박 5일을 잡았다. 5일 정도면 비자가 나오겠지 싶었다.

택시를 타고 숙소가 있는 호찌민 1군으로 갔다. 찾아가는 길도 어려워서 택시에 내려서도 숙소를 찾아가는 데 10분이 넘게 걸렸다. 덥고 발에는 흙탕물까지 잔뜩 묻었다. 몸과 마음이 축 늘어진 상태로 들어선 숙소는 아니나 다를까 상태가 아주 좋지 않았다. 어쩌자고 내가 여기를 4박 5일이나 예약했을까, 후회가 물밀듯이 밀려왔지만 이 가격으로 호텔의 쾌

적함을 기대하는 것은 말이 안 된다. 일단 짐을 풀고 침대에 엎어졌다.

호찌민에 머무는 동안 말레이시아 비자와 한국에 가야 할지도 모른다는 불안감이 마음 한 구석을 무거운 돌덩이처럼 짓누르고 있었는지 우리는 자주 말다툼을 했다. 나는 괜히 죄 없는 남편에게 짜증을 냈고, 남편은 내 짜증을 받으며 속상해 했다. 아마 4박 5일 내내 이랬던 것 같다.

학교와 EMGS는 왜 학기가 시작했는데도 비자를 안 줬는지, 전화는 대체 왜 안 받았는지, 수십 통을 보낸 메일에는 왜 답장을 안 했는지, 본인들이 연락을 안 받았으면서 왜 우리가 다시 한국에 가야만 비자가 진행된다고 뒤늦게 답을 하는지…… 나도 모르게 계속 울컥 화가 올라와서 말레이시아 탓을 해보기도 했다. 그래도 역시, 가장 큰 잘못은 신중해야 하는 비자 문제를 우습게 본 나와 남편에게 있기에 우리는 그 저 속만 끓이는 수밖에 없었다.

낮에는 카페에 가서 공부하다가 저녁에 숙소에 들어와 있으면 또 엄습하는 불안감에 기분이 가라앉곤 했다. 감정 기복의 롤러코스터를 타며 그렇게 마지막 날이 왔다. 결국 비자는 나오지 않았다. 최대 2주가 걸릴 수도 있는 상황이었다. 호찌민에 더 남아있을 수가 없었다.

여긴 왜 와서는. 그냥 바로 한국 갈 걸.

애초에 호찌민에 머물며 조금은 저렴하게 비자 사태를 끝내겠다는 생각 자체가 어리석었던 것이다. 불편한 마음으로 여행도 뭣도 아니었던 5일 동안 결국 돈만 더 쓰고 우리는 한국으로 다시 들어가야만 했다. 모든 것이 우리의 선택이었지만 괜히 말레이시아 이민국 욕을 한 번 더 했다. 참 못났다. 우리는 그렇게 바닥까지 가라앉은 마음으로 호찌민발 한국행 항공권을 결제했다.

4박 5일의 호찌민은 최악이었지만 호찌민은 죄가 없다. 그저 또 한 번의 어리석은 선택을 했다는 자책과 후회가 그렇게 만든 것뿐. 숙소도 별로고 물가는 괜히 더 비싸진 것 같고, 인터넷도 느리고. 그냥 불안이 가득했던 나는 괜히 호찌민에 화를 풀었다.

그렇게 결국 말레이시아 입국 2주 만에 호찌민으로, 그리고 다시 한국으로 돌아왔다. 비자 발급까지 최대 3주까지 걸릴 수도 있었기에 우리는 염치 불고하고 또다시 각자의 부모님 댁에서 신세를 질 수밖에 없었다.

어디에 내놔도 부끄러운 자식들

결혼한 30대 자식들이 돌연 공무원을 그만두고 아일랜드로 가더니, 갑자기 호주 워킹홀리데이를 갔다가 또 석사 공부를 하겠다며 호기롭게 말레이시아로 떠났는데, 비자를 못 받아 말레이시아에서 3주 만에 쫓겨나듯 한국에 돌아오다니. 양가 부모님들은 황당해하셨다. 우리가 부끄러우셨을 것이다. 어디에 내놔도 부끄러운 자식들, 내가 부모님이었어도 그럴 것 같았다.

우리는 각자 부모님 댁에 지내면서 없는 사람처럼 있었다. 제발 비자를 달라고 말레이시아에 매일 연락을 하며 부모님께 최대한 거슬리지 않게 조용히. 나는 집에 있으면서 엄마와의 시간을 많이 가졌다. 그렇게 눈치를 보며 부모님 댁에 머문 지 2주가 되었을 때, 민폐의 한계에 다다랐다는 생각이 들었다. 나는 더 이상 부모님 댁에 있을 수 없다고 판단했다. 돈을 아끼기 위해 부모님 댁에 들어간 것이었는데, 예상보다 말레이시아 비자가 너무 늦어졌다. 방법이 없었다. 죽이 되든 밥이 되든 비자가 나올 때까지 제주도에 가 있기로 했다. 열심히 운영하고 있던 내 블로그를 십분 활용해 '블로그 체험단으로 제주도 여행 비용 최소화'라는 웃기지도 않는 계획을 세우고서 한국에 들어온 지 2주 만에 다시 제주도로 떠났다.

비자가 나오면 바로 페낭으로 돌아갈 준비를 하고 제주공항에 도착했다. 돈이 없었기에 블로그 체험단으로 숙박, 렌터카, 식사, 카페 등을 최대한 해결해야 했는데 나의 블로그를 좋게 봐주신 사장님들 덕에 감사하게도 꽤 많은 체험단에 선정되었다. 뜻하지 않게 풀빌라, 독채 펜션도 가보고 바다 바로 앞 꽤나 괜찮은 호텔에서 자쿠지 체험도 즐겼다. 가장 비용을 아껴야 하는 자린고비 여행이 아이러니하게도 가장 호화로운 제주 여행이 된 것이다.

알차게 먹고 쉬며 지내던 제주도의 어느 날 아침, 남편이 요란스러운 목소리로 나를 깨웠다

"비자 나왔어! 이제 우리 돌아갈 수 있어!"

한국에 돌아온 지 2주 반 만에 말레이시아 비자가 나온 것이다. 진행상태가 30%에서 꿈쩍도 안 하기에, 크리스마스와 연말까지 한국에서 보낼 각오를 했었는데, 갑자기 80%까지 훌쩍 뛰다니. 나머지 20%는 말레이시아에 입국한 뒤 해결해야 하는 거라 우리는 80%의 비자를 가지고, 다시 페낭으로 갈 준비를 했다. 그렇게 호화로웠던 제주에서의 7박 8일을 끝내고, 우리는 겨우 다시 페낭으로, 우리 집으로 돌아올 수 있었다.

무비자로 들어와 다시 한국에 다녀와야 했던 비용 100만 원. 우린 그것을 '멍청비용 100만 원'이라고 부른다. 지금이야 웃으면서 얘기하지만, 페낭에서 호찌민으로, 호찌민에서 한국 부모님 댁으로 또 제주도로 갈 때의 우리는 그 심정이 참담하기 그지없었다. 외국인이 해외에 살 때 무엇보다 우선이 되어야 하는 것은 비자이다. 우리는 이미 아일랜드에서 비자의 무서움을 겪어봤지만, 호주에서 너무 쉽게 비자를 얻어서인지, 가까운 나라이니 쉽게 줄 것이라고 생각한 오만함 때문인지 아무튼 말레이시아 비자를 얕본 대가를 톡톡히 치렀다.

한국으로 쫓겨나서야 다시금 깨달은 비자의 중요성. 이 글을 읽으시는 분들은 우리를 타산지석으로 삼아 비자 문제에 있어서만큼은 언제나 신중하게, 두 번 세 번 고민해서 결정하시길 바란다.

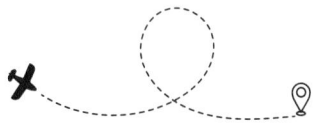

내가 여행을
좋아하는 이유

　페낭으로 돌아온 지 얼마 되지 않아 크리스마스 시즌이 왔다. 올해 크리스마스는 화려한 야경으로 유명한 말레이시아의 수도 쿠알라룸푸르에 있겠다며 우리는 10월부터 미리 계획을 세웠다. 더 비싸지기 전에 항공권과 숙소 예약을 마쳤다. 다행히 여행 전 페낭에 돌아올 수 있어서 우리는 그렇게 12월 23일, 쿠알라룸푸르로 떠났다.

　말레이시아의 수도에 가본다며 신나 했던 것과는 달리, 우리는 쿠알라룸푸르로 가는 비행기를 놓쳤다. 아무리 게으르게 살아왔다 해도 비행기를 못 탄 적은 없었는데 참 별일이었다. 별수 없이 카페에 앉아 다음 비행편을 찾아봤다. 크리스마스 시즌이라 더 비싸진 항공권을 다시 결제하려니 한숨만 나왔다. 그래도 비자 사건 이후로 제법 멘탈이 튼튼해진 우리는 "요즘 돈이 술술 나가네. 이런 시기가 있나 봐"라며 가볍게 털어버렸다. 여행을 오래 하다 보면 이런 일도 저런 일도 있으니까. 그렇게 우리는 새로 예약한 비행기를 타고 쿠알라룸푸르에 도착했다.

남편과 해외에서 보내는 크리스마스는 이번이 두 번째였다. 더블린에 살던 2021년의 크리스마스, 우리는 덴마크에 있었다. 동화 같다고 하는 유럽의 크리스마스가 궁금해 무작정 덴마크로 날아갔는데 거리의 레스토랑과 상점이 거의 문을 닫아 당황했던 기억이 있다. 놀라울 만큼 조용한 크리스마스였지만, 시끄러운 것보다는 고요한 분위기를 좋아하는 우리라 나름대로 낭만적인 덴마크 여행을 했다. 2021년은 조용하게 보냈으니, 2022년은 화려한 곳에서 시끄럽게 보내고 싶었다. 우리가 사는 페낭이라는 도시가 워낙 평화롭다 보니 도시의 분주함이 조금 그리웠던 것도 같다.

소문대로 쿠알라룸푸르의 중심지는 화려했다. 하늘을 찌를 듯한 고층 건물이 빽빽하게 자리 잡고 있었고, 며칠을 돌아봐야 다 볼 것 같은 큰 쇼핑몰이 여러 개 있었다. 명절에는 말레이시아도 쉬는 곳이 많다고 해서 걱정했는데, 다행히

📍 말레이시아 쿠알라룸푸르에서 우리는 해외에서 보내는 두 번째 크리스마스를 맞았다. 화려한 도시 풍경 속에서 우리는 신나는 크리스마스를 보냈다.

크리스마스라 문을 닫은 가게는 보이지 않았다. 오히려 가는 곳마다 사람들로 넘쳐났다. 지나치게 고요했던 작년의 크리스마스와는 확실히 대비되는 정신없는 크리스마스를 보낼 수 있을 것 같았다. 혼이 쏙 빠질 만큼.

'이날만큼은 원 없이 놀아야 해!' 하고 말하듯 화려하게 치장한 사람들. 그 분위기를 고조시키는 시끄러운 음악 소리. 저마다의 조명으로 쿠알라룸푸르의 야경을 만드는 무수히 많은 빌딩들. 오랜만에 만나는 도시적인 느낌에 우리는 왠지 평소보다 조금 흥분된 상태였다. 하루에 30분도 걷지 않는 내가 샌들을 신고도 반나절 내내 돌아다녔다. 줄 서서 먹는 유명 식당에는 웬만하면 가지 않는 우리인데, 무려 1시간을 기다린 끝에 유명 맛집이라고 소문난 곳에서 샤부샤부를 먹었다. '이곳에 왔으니 기념품은 사 가야지!' 하는 마음도 생겨나 쿠알라룸푸르의 한 서점에서 몇 시간 동안 책을 고르기도 했다.

늘 여행하듯 해외에서 살아도 진짜 '여행'은 다르다. 1년이나 머물 말레이시아인데도 괜히 무엇이든 한 번 더 보려 하고, 게으른 천성을 거슬러 하루 종일 가볼 만한 곳을 찾아본다. 여행을 갔다 하면 부지런하지 못한 나는 없었다. 나는 그래서 여행을 좋아한다.

페낭에서는 나와 남편, 울창한 숲과 낮은 지붕을 인 집뿐이었다. 안정된 일상을 느끼게 하는 그 고요함이 좋았지만, 가끔 무료할 때도 있었다. 그럴 때면 나는 방콕, 푸켓, 랑카위 등 가까운 도시로 가는 항공권을 찾아봤다. 생각해보니 나는 변화가 필요하다고 느껴질 때면 여행 계획을 짜곤 했다. 그리고 훌쩍 여행을 떠났다. 여행을 할 때의 나는 평소보다 부지런했고, 활기찼다. 여행으로 버킷리스트를 이루러 갔다가 오히려 더 많은 목표와 꿈을 가져오기도 했다.

첫 도시 아일랜드 더블린에서는 초기 정착이 잘 안되어 이방인의 설움을 매일같이 느끼고 있을 때, 우리는 덴마크로 네덜란드로 유럽으로 떠나곤 했다. 더블린이 아닌 다른 도시에서는 그저 잠깐 머물다 가는 여행자로, 아무 걱정 없이 즐기기만 하면 되는 마음 편한 외국인 여행자가 되었다. 호주에서 한국으로 가기 전, 호찌민에서의 한 달 또한 그랬다. 그저 편히 지내다 한국으로 가면 되었다.

여행은 나에게 그런 것이었다. 일상이 지루하다고 느껴질 때면 여행은 내게 새로운 신선함을 안겨 주었고 나는 더욱 열심히 살겠다고 생각했다. 현실에 지쳐 우울함이 밀려올 때면 여행은 내게 '다 지나갈 거야. 이겨내자.' 하는 씩씩함을 안겨 줬다. 유난히 감정 굴곡이 많은 나여서 그랬을까, 나는 그래서 남들보다 더 자주, 더 길게 훌쩍 떠났던 것이었는지도 모르겠다.

여행은 안 하던 짓도 하게 만든다. 안 하던 짓은 결국 생각의 변화를 가져온다. 페낭의 느린 속도와 고요함에 취해 어느새 게으름을 여유라고 착각하며 살았던, 그래서 아까운 시간을 허투루 흘려보내고 있었던 나를, 쿠알라룸푸르 여행은 다시 나를 깨우고 움직이게 만들었다. 도시의 야경을 보며 잊고 있던 나의 수많은 버킷리스트를 생각나게 했다.

나는 여행을 사랑한다. 여행이라는 것에 대해 누군가는 부정적일 수도 있다. 여행에 쓰는 돈이 아깝다는 사람들은 '돈도 많다! 그 돈으로 차라리 주식을 사지.' 하고 말 할 수도 있을 것이다. 하지만 여행은 때론 쌓이는 자산보다, '이 강의를 들으면, 당신은 부자가 됩니다'라고 홍보하는 값비싼 강의보다도 좋은 인생 수업이 될 수 있다. 몸을 일으킬 힘조차 없는, 우울함이 가득한 사람들에게 여행은 때론, 눈물을 펑펑 쏟고, 속에 있는 것을 다 뱉어내고 다시 일어설 힘을 주기도 한다. 나는 그랬다. 인생의 불안감, 지루함, 우울함, 절실함, 답답함, 공허함을 느낄 때, 변화가 필요한 때에는 언제나 여행을 떠났다.

여행은 늘 나에게 그런 것이었다. 나는 늘 여행하듯 살아도 끊임없이 여행을 갈 것이다. 지금도 그리고 앞으로도.

여행은 내게 신선함을 안겨주고 열정을 갖게 해준다. 그리고 용기를 내게 해준다. 나는 여행을 하며 이 삶을 더 행복하게 살아야 할 이유를 찾곤 했다. 나는 앞으로도 여행하듯 이 세상을, 내 삶을 살아갈 것이다.

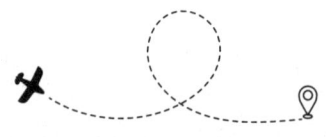

불꽃놀이 명소,
말레이시아 페낭

매일 아침 일어날 때마다 '이 집으로 선택하길 정말 잘했다.' 하고 생각하게 된다면 삶의 만족도가 확 올라간다. 한국과 더블린, 호주에서는 몰랐는데 난 이 사실을 페낭에 와서 깨달았다. 저렴한 월세에 비해 좋은 점은 한두 가지가 아닌데, 특히 '울창한 산과 도시야경이 한눈에 보이는 넓은 테라스'는 정말이지 기가 막힌다.

테라스가 넓어 좋은 점, 야외용 벤치에 앉아 불꽃놀이를 실컷 감상할 수 있다. 웬 불꽃놀이냐 하실 수 있는데 페낭은 의외로 불꽃놀이 문화가 있다. 워낙 불꽃놀이를 좋아하는 중국 사람들이다 보니, 중국계 말레이시안이 특히 많은 이곳 페낭에서는 명절, 크리스마스, 연말연초 등 기념일에는 여지없이 아침부터 불꽃이 팡팡 터진다.

국가나 기관에서 하는 불꽃놀이도 있지만, 대부분 집이나 집 근처에서 개인이 터뜨리는 것들인데 그것 또한 규모가 작지 않다. 감사하게도 우리 집 근처에서는 많은 곳에서 불꽃놀이를 한다. 한 곳이 끝나면 또 다른 곳에서 터뜨린다. 누가 누가 더 화려한 불꽃을 터뜨리나 대결하듯 화려하게 빛나는 불꽃을 보며 우리는 테라스에 가만히 앉아 눈 호강을 한다.

처음 페낭의 불꽃놀이를 본 건 2023년 토끼해를 맞이하는 새해였다. 저녁 8시쯤 영화를 보고 있는데 불꽃을 꽤 크게 터뜨리는 사람들이 생겼다. 우리는 '펑!' '피유우우~' 하는 소리만 나면 영화를 보다 말고 테라스로 뛰어갔다.

"어디지? 어디서 터지는 거야?"

소리의 흔적을 찾아가면 아주 작은 불꽃에 실망하기도 했고, 앞 건물에 가려서 보이지 않는 불꽃에 아쉬워하기도 했지만, 눈앞에서 형형색색으로 터지는 아주 큰 불꽃을 보고 있노라면 이런 생각이 들기도 했다.

'집에서 이렇게 편하게, 이 정도의 불꽃놀이를 볼 수 있다니! 우리 성공했네.'

나에게 불꽃놀이는 사람이 북적북적한 곳에서 한참을 기다려야만 겨우 볼 수 있는 것이었다. 그런데 이곳 페낭에서는 어디 나갈 필요도 없이, 그것도 집에서, 그것도 잠옷 차림에 맨발로! 보고 있으면 저절로 '비싸겠다'라는 생각이 들 만큼 화려한 불꽃이 바로 내 눈앞에서 터진다니. 페낭은 예상치도 못했던 불꽃놀이 명소였다.

1월 1일 0시의 밤하늘. 칠흑같이 어두운 산과 오색빛깔 불꽃, 그것이 지나간 자리에 남은 자욱한 화약 연기. 'Happy New Year!' 앞 건물 한 청년의 우렁찬 외침에 새해가 밝았음을, 스물아홉 살에 한국을 떠난 우리는 이제 서른하나가 되어 있었다. 말레이시아에서는 기념일마다, 이벤트가 있을 때마다 불꽃이 터지지만 봐도 봐도 질리지가 않는다. 불꽃뿐만이 아니다. 페낭에서의 하루하루는 매일매일이 흘려보내고 싶지 않을 만큼 평화롭다.

새해가 얼마 지나지 않아, 1월 말 CNYChinese New Year 덕분에 우리는 설 명절도 불꽃놀이와 함께 보낼 수 있었다. 중국계 말레이시안에게는 가장 큰 행사라 크리스마스나 연말연초보다 더 화려하고 더 크다는 소문이 있었다. '이번에도 눈요기 한번 제대로 해야지.' 미리 각오를 하고 명절맞이 음식 장만도 충분히 했다.

차이니즈 명절의 시작인 2023년 1월 21일. 한 해의 가장 큰 명절이다 보니 역시 아침부터 어김없이 폭죽 소리가 들렸다. 각자의 집에서, 도로에서 자유롭게 폭죽을 쏜다. 우리가 사는 콘도의 몇몇 집에서는 테라스에서 작은 것들을 쏘기도 했다. 아침부터 간간히 들린 폭죽 소리는 초저녁이 되자 커지기 시작했다. '펑!' 한 번 크게 터질 때마다 테라스에 나가보다가 결국 야외 테이블을 닦고 아예 테라스에 자리를 잡았다.

집 근처에는 꽤 많은 세대가 살고 있는 타운하우스 단지가 있는데, 테라스에서 보면 앞마당까지 다 보인다. 아버지와 아이들이 집 앞 도로에서 작은 불꽃을 터뜨렸다. 뭐가 그렇게 좋은지 아이들은 방방 뛰며 까르르 웃었다. 집이 고층에 있다 보니 테라스에 있으면 산의 향기를 가득 담은 시원한 바람이 불어오는데, 나는 그것을 맞으며 생각했다.

'이렇게 평생 살아도 괜찮을 것 같아.'

더블린은 모든 것이 처음이라 서툴렀지만 수많은 모험을 했고, 호주에서는 보다 안정적인 해외 생활을 했다. 그리고 세 번째 도시인 여기 페낭은 매일이 힐링 그 자체이다. 무언가 많이 하지는 않지만, 그간 1년 해외 생존기의 날들을 정리해 보고 잊지 않으려 열심히 기록 정리도 한다. 그리고 다음에 갈 나라에서의 삶을 조금씩 준비하며 여유로움을 만끽한다. 우리에게 페낭은 눈을 감아도 보이는 푸른 숲이고 예쁜 불꽃놀이다. 시원한 바람을 맞으며 커피를 마시는, 생각만 해도 기분 좋은 휴양지이다.

커다란 배낭을 메고 세계를 여행하는 사람들은 여행에 지칠 때면 한적한 곳을 찾아 편안하게 쉬어간다. 그렇게 여행과 여행 사이, 잠깐의 쉬는 시간은 여행을 더 오래 할 수 있게 만들어 준다. 우리 또한 그렇다. 남편의 석사 과정을 위해 온 이곳에서 우리는 생각하고 쉬고 수영하고 여행하며 늦잠 자고 책을 읽고 글을 쓰고 공부하며 영화를 본다. 그리고 준비를 한다. 힘을 모아 다음 모험을 떠날 준비. 어쩌면 말레이시아 페낭은 우리의 남은 긴 여행 생활 중 첫 번째 쉼이 아닐까.

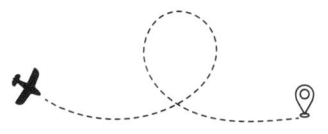

먹고, 사랑하고,
수영하라

"배고프지?"

느지막이 일어나 팬이 틀어진 시원한 거실로 나가면, 일찍 일어나 공부하던 남편이 묻는다. "그래! 이따 먹자"라고 짧게 답하고, 선크림도 바르지 않은 채 테라스로 나가 한 바퀴 휘휘 돌며 오늘도 눈부시게 푸른 숲을 바라본다. 숲에서 불어오는 달콤한 바람이 좋아 아주 깊게 숨을 내쉬고, 길게 내뱉는다. 그러고 나서 다시 거실로 돌아와 남편한테 안긴다. 그렇게 잠깐 안겨있다가 책상 맞은편의 내 자리로 가서 앉는다.

이렇게 각자 공부를 하다 점심 준비를 한다. 부엌 요정인 남편이 재료를 손질하기 시작하면 나는 그 옆에서 얼쩡대는데, 그때마다 남편은 소파 쪽으로 손을 휘휘 내저으며 '방해되니까 얼른 저기 가서 넷플릭스나 보고 있어'라고 한다. 배

부르게 먹고 나면 테라스에 한 번 가서 숲을 보고 바람을 쐬다가 밀려오는 식곤증에 잠깐 낮잠을 잔다. 그리고 일어나서 다시 노트북으로 작업을 하다 누구 하나가 "수영 갈까?" 하고 말하면 바로 수영복을 입고 콘도 6층으로 내려간다. 한 시간 쯤 수영을 하고 와서는 저녁 준비를 한다. 페낭은 배달 음식이 저렴한 편이라, 조금 피곤하다 싶으면 우리는 바로 그랩 앱을 켜고 먹고 싶은 것을 찾는다. 저녁을 먹으며 드라마를 보거나 다음에 가고 싶은 곳들에 관해 얘기한다. 그리고 또 각자 공부. 주로 새벽에서야 잠이 드는 우리는 형식적인 알람을 맞춰놓고 하루를 마무리한다.

우리 부부의 페낭 일상은 이렇다. 가끔은 집 주변 카페에 가기도 하고, 큰 쇼핑몰에 가서 놀다 오기도 하지만 대부분의 날들은 이렇게 집에서 보낸다. 말레이시아 페낭에서 온전히 우리만의 하루를 사는 것에는 이유가 몇 개 있는데, 첫째는 현지에서 일을 할 수 없기 때문이다. 남편은 페낭 USM 대학교에서 석사 공부 중이라 학생비자를, 나는 학생의 배우자로 들어와 배우자 비자를 받아 거주 중이다. 우리의 비자로는 말레이시아 내에서 취업을 할 수가 없어 남편은 학생으로, 나는 온라인으로 일하는 프리랜서로 살 수밖에 없다. 심지어 남편의 1학기 수업은 온라인으로 진행되어 학교를 코앞에 두고도 집에서 수업을 듣는다.

두 번째 이유는 돈이다. 이는 일을 할 수 없다는 이유와도 이어진다. 더블린과 멜버른에서 열심히 일하며 모았던 돈을 쓰며 살고 있는데, 온라인으로 버는 수입은 고정적이지 않다. 그래서 '밖에 나가서 일하지 않을 자유'를 얻은 대신 지출을 확 줄여 살기로 했다. 물가가 한국보다는 저렴하다고 하지만, 그래도 한 번 나가면 돈이 들기 때문에 주 2회 정도만 외출하고 있다.

어쩌면 우리는 일을 하지 못해 페낭 집에 갇힌 것일 수도 있다. 조용한 곳에 와서 수련하는 느낌도 든다. 우리는 이 생활이 꽤 마음에 든다. 항상 무언가를 해야 한다는 압박감이 있었다. 늘 뛰어가듯 급하게 살았다. 막 일어난 아침, 잠에서 깨지 않은 몸으로 차디찬 냉수를 들이키듯 모든 하루를 알차게 살아야 한다는 생각에 언제나 발을 동동거리며 살았던 것 같기도 하다.

아일랜드와 호주에서는 현지에서 일을 했기에 대부분의 시간을 밖에서 보냈었다. 그러다 페낭에 왔다. 처음에는 적응이 안 되었다. 페낭에는 한인 밀집 지역인 탄중토콩이나 여행자 거리가 있는 조지 타운은 갈 만한 레스토랑이나 카페가

많다. 하지만 우리는 남편의 학교 근처에 살아야 했기에 조용한 대학가로 왔다. 처음에는 주변이 너무 휑해서 놀랐다.

'걸어서 갈 만한 카페가 고작 한 군데라니.'

'큰 쇼핑몰도 택시를 타고 10분은 가야 한다니.'

'마트조차 도보로 갈 수 있는 곳이 없다니.'

온갖 생각이 들어도 별수 없어 그저 집과 친해지길 바랐던 보름 쯤이 지나고, 나는 그저 적응하는 것을 넘어 이 시간들이 일생일대의 기회임을 알았다. 2021년 10월, 한국을 떠나 아일랜드로 가면서 내심 언젠간 이런 기회가 오길 바랐다. 어떤 식으로든 남편이랑 종일 붙어있으면서 함께 삼시세끼를 먹고, 마음껏 공부하고 글을 쓰며 운동하는, 그런데도 아무런 압박이나 죄책감이 없는 그런 삶이 짧게라도 와주길 바랐다. 그런데 진짜 온 것이다. 이런 기회가!

온전히 나만 생각할 수 있는 시간들

강제로 집순이가 되어 내가 하고자 하는 일만 하면 된다. 밖에 나가 사람을 만날 필요도 없고 불편한 사람들과 점심을 먹지 않아도 된다. 늦잠을 자고 싶다면 자고 싶은 만큼 자도 되고(물론 이런 날은 새벽까지 일을 해야 한다), 피자가 먹고 싶으면 배달 앱을 켜고 바로 시켜 먹으면 된다. 더울 땐 수영복으로 갈아입고 6층에 있는 수영장에 뛰어들면 시원하기 그지없다.

하루 종일 생각하는 것이라곤 이런 것들뿐이다. '오늘 뭐 먹지?', '블로그 포스팅 주제 뭐로 하지?', '다음 달 여행은 어디로 가지?', '내년에 어디로 가게 될까?', '그림을 배워볼까?' 오로지 나에 대한 생각만 한다. 다른 무엇도 아닌, 온전히 나만 생각할 수 있는, 다시 오지 않을 수도 있는 시간들이다.

이 세상에는, 특히 한국에는 사회가 정해놓은 인생의 단계 같은 것이 있다. 남들보다는 부지런하지 않지만, 나름 그 계단을 잘 타고 올라가기 위해 노력해 왔다. 순리대로 잘 가고 있음을 증명하는, '성취'라고 말할 수 있는 것들도 두어 개 만들었다. 그런데 지금 여기, 페낭에서는 그런 느낌이다. 계단 밑 해리포터의 방으로 잠깐 숨어든 것 같은 느낌. 이 방에서는 내가 좋아하는 것들을 잔뜩 늘어놓고 '오늘은 뭘 해볼까?' 행복한 고민을 한다.

1년간 해외에서 온갖 애를 쓰며 살았던 우리에 대한 보상이기도 하고, 분주하게 살 다음 목적지로 가기 전의 짧은 쉬는 시간이기도 하다. 페낭에서의 시간이 끝나면 아마 다시 계단을 타고 올라갈 것이다. 하지만 이전과는 다를 것 같다. 나만의 방에서 나는 나를 조금 더 잘 알게 되었다. 그동안 있었던 불안감, 죄책감으로부터 나를 다독였고, 그저 명랑하게 살아가라고 응원하기도 했다. 나도 잘 몰랐던 나를 들여다보며, '온전히 나만 들여다보는 시간'의 중요성을 알게 된 듯하다. 앞으로 살아갈 긴 인생에서, 또 다른 페낭이 찾아오면 좋겠다. 길게, 자주.

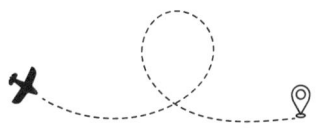

여기,
페낭의 숲을 보러 오세요!

말레이시아는 유독 한달 살이, 일 년 살이 등 단기 체류 국
가로 인기가 높다. 쿠알라룸푸르 기준, 서울에서 직항으로 6
시간밖에 안 걸리는 가까운 나라인데 영어가 공용어라는 점,
한국이나 다른 영어권 나라들보다는 물가가 저렴한 점, 미식
의 나라답게 한국인 입맛에도 딱 맞는 맛있는 음식이 많다는
점 등등 이유는 여러 가지가 있다.

느적느적, 느릿느릿

이곳에 조금만 머물러도 느낄 수 있는 것은 말레이시아 사
람들의 여유로움이다. 기관의 행정 처리, 사람들이 살아가는
속도 등 거의 대부분에서 느리다는 느낌을 받는다. 아마 이

것은 태국, 베트남, 인도네시아 등 일 년 내내 더운 동남아 나라들의 특징이기도 할 것인데, 아침부터 더워서 그런지 오전, 오후보다는 선선해지는 저녁, 밤에 더 생기가 가득한 것처럼 보인다. 베트남 호찌민에서 한 달을 머물 때도 느꼈던 이 여유가 페낭에도 있는 것을 보면 아마 날씨 영향이 크지 않을까 싶다. 항상 빠릿빠릿하게 움직였던 한국에서와는 달리, 여기 페낭에서는 나와 남편도 꽤 느려졌다. 더워서 느릿느릿 걷게 되고, 왠지 모르게 '뭐든 괜찮다'라는 식의 해탈한 마음가짐 또한 생겨버렸다.

내가 아무리 게으른 편이라고 해도, 그래도 한국인인데 이렇게 삶의 속도가 조금 느린 나라에 적응하기는 쉽지 않았다. 아일랜드 더블린에 살 때, 그리고 지금 말레이시아에 살 때 모두 그랬다. 느린 나라들의 느린 행정 처리 속도와 사람들의 느긋함을 이해할 수 없었던 과거의 나는 '한국 같았으면 하루 만에 처리될 일인데!'라며 철저히 자기중심적인 생각으로 화를 내곤 했었다.

그래도 한국을 떠나온 지 일 년이 조금 지난 요즘은 그동안 제법 여러 나라를 다녔다고, 어느 나라를 가든 그곳의 속도에 맞추려고 노력한다. 물론 워낙 성격이 급한 탓에 아직도 쉽지는 않다. 참을 수 없이 느렸던 말레이시아 비자 발급에서는 화를 많이 내기도 했지만, 예전보다는 확실히 마음의 여유가 늘었다. 말레이시아의 수도 쿠알라룸푸르는 또 어떤지 모르겠지만 우리가 사는 페낭처럼 현지인들이 더 많이 사는 곳에서는 말레이시아 특유의 여유로움을 더더욱 온몸으로 깨달을 수 있다. 우리 부부는 느릿느릿 걷는 만큼 느려지는 마음의 속도로 인생에서 놓치고 있던 것들을 다시금 돌아보게 하는 여유를 배우고 있다.

가깝고도 먼 나라

말레이시아는 가깝지만 의외로 상당히 이국적인 나라이다. 우리도 직접 와보기 전까지는 그저 비슷비슷한 동남아시아 나라 중 하나일 것으로 생각했다. 물론, 일 년 내내 더운 날씨는 비슷하지만 말레이시아의 국교는 동남아에서는 상대적으로 접하기 쉽지 않은 종교인 이슬람이기 때문에 눈에 보이는 풍경부터가 색다르다. 히잡을 쓴 여성들, 논할랄 코너에서만 살 수 있는 삼겹살, 술을 마시지 않는 문화 탓에 야외에서 음식과 음료를 마시며 수다 떠는 대학생들. 이런 이유로 페낭의 첫인상은 저기 먼 유럽보다도 낯설었다.

베트남에만 가도 여기가 한국인지 해외인지 모를 만큼 한국의 흔적을 자주 접할 수 있는 반면, 말레이시아에서는 '이국적이라는 것은 이런 것이구나.' 하는 생각이 새삼스럽게 들만큼 풍경이 신선하다. 외국인들이 우리나라에 오면 우리의 문화를 존중해 주기를 바라듯, 우리도 해외에 나가면 그 나라와 사람들의 문화를 공부하고 배우기 위해 노력한다. 유럽에서는 유럽식으로, 호주에서는 호주식으로, 베트남에서는 베트남식으로 사는 법을 어설프게나마 익히려고 했다. 그리고 여기 말레이시아 페낭에서도 문화와 생활 방식을 공부하고 있다. 우리에게는 특히 생소한 문화이기에 다른 나라들보다는 조심해야 하는 것이 많다.

이슬람 예법의 기본도 모를 때의 일이었다. 큰 쇼핑몰의 마트에 가서 거의 한 달 치 장을 보고 계산대에 서서 물건을 하나씩 위로 올렸다. 그때 논할랄 코너에서 돼지고기를 샀는데, 다른 물품들과 함께 계산대에 올리고는 직원이 바코드 찍어주기를 기다렸다. 그 직원은 히잡을 쓴 이슬람 여성이었는데 우리에게 "The pork"라고 말하며 손가락으로 삼겹살을 가리켰다. 이슬람 여성은 논할랄 푸드를 손으로 만져서는 안 된다는 것을 몰랐던 우리는 그저 해맑게 "Yes! That's a pork!"라고 말했고, 그녀는 결국 "I can't touch that. Can you pick it up for me?"이라고 친절하게 설명해주셨다. 부끄러움과 미안함에 연신 "Sorry." 하고 말하고서는 얼른 들어서 바코드가 찍히게 했다.

일상 곳곳에 이렇게 주의해야 하는 것이 있지만, 그렇다고 해서 우리 같은 종교가 없는 사람이나 이슬람교를 믿지 않는 사람들이 살기 불편한 것은 거의 없다. 영어, 말레이어, 중국어의 3개 언어가 공용어로 쓰이는 만큼 여기 말레이시아는 다양한 민족들, 문화가 어우러진 곳이기에 살기에 좋다. 다만 술을 즐기지 않는 이곳에서는 나처럼 술을 좋아하는 사람들은 비싼 술값에 조금 괴로울 수도 있겠다.

쉼이 필요할 때

말레이시아가 좋은 또 하나의 이유는 휴양에 최적화된 위치이다. 말레이시아에는 우리 같은 성인들이 공부하러 오거나 휴양을 위해 오기도 하고, 영어가 공용어이기 때문에 자녀는 영어를 배우고 동시에 부모님은 쉬기 위해 가족이 함께 오는 경우도 많다. 이곳에 오는 사람들은 미국이나 영국처럼 독하게 공부를 하거나 성공을 꿈꾸며 오기보다는 '휴양과 쉼'에 더 목적을 두고 오는 분들이 많다. 물론 우리도 그렇다. 페낭에 있는 일 년이 동남아 여행을 실컷 할 수 있는 기회라고 생각하고, 한 달에 한 번 다른 도시, 다른 나라를 가보자고 다짐했다. 한국에서는 꽤 먼 쿠알라룸푸르, 푸켓, 방콕, 코타키나발루, 랑카위 등 휴양하기에 좋은 도시들을 여기서는 비행기를 타고 2시간이면 갈 수 있다.

우리가 만약 한 달 살기로 말레이시아에 왔더라면 조금 많이 아쉬웠을 것이라는 생각이 든다. 말레이시아는 잠깐 살기에도, 꽤 오래 살기에도 좋은 나라인 것 같다. 언급한 세 가지 외에도 살다 보면 느낄 수 있는 여러 이유들이 있다.

만약, 잠깐 일상에서 벗어나고 싶다면, 영어 공부도 하고 머리 식힐 겸 여행도 다니고 싶다면, 그러면서 너무 큰 비용을 들이고 싶지 않다면, 여기 우리가 있는 말레이시아를 추천하고 싶다.

여기요 여기! 페낭의 숲을 보러오세요!

Tips & TMI

말레이시아에서 살고 공부하는 것에 대하여

Q. 말레이시아는 어떤 나라인가요?

A. 말레이시아는 이슬람 국가이지만 여러 인종이 어우러져 살고 있어 폐쇄적이진 않고 개방적인 분위기를 풍긴다. 세 인종이 주로 어울려 살아가는데, 말레이계가 60%, 중국계가 30%, 인도계가 10% 정도로 추산된다. 이 때문에 공식 언어인 말레이어와 영어 외에도 중국어나 타밀어를 쉽게 들을 수 있고, 세 인종이 함께 모여 서로 영어로 대화하는 것도 쉽게 볼 수 있다. 덕분에 말레이시아에서는 완전한 영어는 아니라도, 어디서든 영어를 사용하는 데는 그다지 불편함이 없다.

Q. 왜 말레이시아 석사를 선택했나요?

A. 남편이 말레이시아를 선택한 이유는 비용이 가장 큰 이유였다. 말레이시아 데이터 분석 석사 과정은 영어로 수업하면서도 학비와 생활비가 저렴하다. 학비는 1년에 1천만 원, 생활비는 월세 포함 월

120만 원 정도면 충분하다. 학교 기숙사는 이보다 훨씬 저렴하다. 더블린과 호주에서 모은 돈만 사용해야 했던 우리가 적은 예산 안에서도 충분히 감당이 가능한 곳이었다. 게다가 1년 과정에 대학 순위도 제법 나쁘지 않은 편이었다. 대학 순위가 큰 의미는 없을지라도, 고민했던 호주 대학들보다 순위가 좋은 편이었기에 나쁘지 않은 선택이었다고 생각했다.

게다가 그는 데이터 과학 쪽에 배경지식이 없는 비전공자여서 무엇보다도 충분히 공부할 수 있는 시간이 가장 중요한 상황이었다. 말레이시아 석사는 미국이나 영국처럼 누구나 다 알아주는 화려한 유학은 아닐지도 모른다. 하지만 데이터 분야는 학위나 대학 배경보다도 개인의 실력이 우선시되기 때문에, 적은 비용으로 일을 병행하지 않고 공부에만 전념할 수 있는 합리적인 선택지였다.

Q. 말레이시아 유학, 어떤가요?

A. 어느 나라나 그렇겠지만 말레이시아 석사 과정 또한 그리 만만한 것은 아니다. 말레이시아에서는 영어를 공용어처럼 사용하고, 대학 수업과 리포트, 발표 등은 모두 영어로 진행된다. 하지만 끝에 'la'를 붙이는 말레이시아 특유의 영어에 적응하기까지 꽤 시간이 걸

렸다. 처음에 힘들어했던 남편은 지금이야 얼추 다 알아듣지만, 나는 여전히 반은 이해를 못 한다. 말레이시아 유학 비용은 서양권보다 훨씬 저렴하지만, 영어는 그곳과 사뭇 다르다는 것을 감안해야 한다.

남편은 경영분석Business Analytics 전공을 선택했는데 학습의 난이도도 제법 높다. 게다가 본인이 원하는 진로로 취업하려면 따로 공부를 많이 해야 해서 개인 공부도 병행해야 한다. 그래서 남편은 하루 종일 공부만 해도 시간이 늘 부족하다고 말하곤 했다. 시험 기간에는 스트레스도 제법 많이 받고, 과제 제출 기간이 다가오면 거의 새벽 서너 시까지 밤을 새워 공부하는 것을 보니 어디든 해외 유학은 만만하지 않다는 것을 느꼈다.

Q. 말레이시아에서 생활하기는 어떤가요?

A. 말레이시아는 동남아 국가들 중에서 잘사는 나라에 속한다. 한국만큼은 아니지만 생활 수준이 높은 편이며 큰 복합 쇼핑몰도 곳곳에 있어 웬만한 편의 시설은 모두 있다고 볼 수 있다. 우리나라와 비교하긴 어렵겠지만 치안 수준도 생활하기에 무리가 없다. 물론 지역에 따라 차이가 있겠지만, 수도인 쿠알라룸푸르와 우리가 있는 페낭 아일랜드 등 어느 정도 규모가 있는 도시라면 지낼 만한 곳이라 생

각해도 될 듯하다.

게다가 한국인들에게 우호적인 편이라서 한국에서 왔다고 하면 대부분 좋아한다. 중국계 비중이 높다 보니 중국인들이 중국어로 말을 걸어오는 경우가 많지만, 한국인이라는 것을 알고 나면 신기해하거나 친해지고 싶어 한다.

동남아 특유의 무더운 날씨가 단점이긴 하지만 카페와 학교, 쇼핑몰 어디를 가든 냉방 시설이 잘되어 있는 편이라서 지내면서 크게 불편한 점은 없었다. 다만 인도가 제대로 정비되어 있지 않아 도보로 다니는 데는 그다지 좋지는 않다. 그래서인지 서양 사람들은 대부분 오토바이 등을 렌트해서 타고 다니며, 한국인 유학생 중에서도 오토바이를 타고 다니는 사람들을 종종 볼 수 있다. 게다가 현지인들도 개인 이동 수단이 대부분 있어서인지 대중교통이 잘 발달하지 않은 곳이 많다. 그래서 거주 지역에 따라 이동이 불편할 수도 있다.

Q. 생활물가는 어떤가요?

A. 말레이시아 물가는 한국의 70~80% 정도 된다. 월세는 저렴한 편이지만 한국 아파트보다는 집의 완성도가 좀 떨어진다는 느낌을 받았다. 페인트나 장판 도배 같은 것들이 잘 벗겨지거나 구석구석

에 마감이 불완전한 곳들이 보였다.

현지 음식은 3~4천 원 정도면 먹을 수 있다. 다만 한식이나 양식, 일식 등은 한국과 비슷하거나 약간 저렴한 정도. 배달 비용이 저렴해 그랩을 이용한 음식 배달을 부담 없이 이용할 수 있다.

마트 물가 역시 한국에서 구매하는 것의 70% 정도로 체감되는데, 돼지고기류는 상대적으로 비싼 편이며 닭고기나 양고기가 저렴하다. 주류는 거의 한국 가격과 비슷하거나 더 비싸다. 말레이시아가 이슬람 국가라 주류세가 엄청 높다고 한다. 인근 국가인 태국이나 베트남에 비해 두 배 정도다.

Q. 말레이시아 학생비자는 받기 쉽나요?

A. 남편이 학생비자를 받기 위해 제법 고생했다. 학생비자 처리 기간이 우리 예상보다 두 배나 오래 걸리면서 문제가 발생한 것이다. 비자가 발급되기도 전에 말레이시아행 티켓부터 구매했던 우리 잘못이 크지만, 남편이 입학한 대학 국제학생처에서 도무지 답변을 주지 않아 문제가 더 복잡해졌다. 전화도 안 받고 이메일 답장도 없는 데다가 현지에는 아는 사람도 없다 보니 일 처리가 진행되지 않았던 것이다. 말레이시아 교육부 격인 EMGS라는 기관에서는 계속 서류를 요

구하는데, 학교 측과는 연락이 되지 않아서 일처리가 계속 미뤄졌다.

말레이시아는 행정 처리가 느리기로 유명한 나라라는 점을 알아 두고 비자 발급까지 인내심을 가져야 한다. 특히 학생비자의 경우, 우리 부부의 경험을 타산지석으로 삼아 비자가 80%까지 완료된 상태에서 입국하도록 하자.

Q. 말레이시아에서 취업하는 건 어떤가요?

A. 말레이시아가 영어 사용률이 높은 편이다 보니, 말레이시아 현지 회사에 취업을 하는 한국인들도 많다. 하지만 업종이 상당히 제한적인데, 대부분 BPO Business Process Outsourcing · 아웃소싱 회사 회사에 취업하는 편이며, 업무도 CS Customer Service · 고객서비스팀 업무를 주로 맡는다. 때문에 관련 분야를 진로로 삼을 것이 아니라면 오래 근무하기는 어려울 수 있다.

한국인들의 임금은 현지 평균 임금에 비해 높은 편으로 보통 월 200~300만 원 사이로 받는다. 말레이시아 평균 월급이 약 100만 원 정도라 200만 원 이상만 받아도 꽤 많이 받는 편으로 볼 수 있다. 생활에는 전혀 무리가 없는 월급이겠지만 장기적으로 본다면 깊게 고민해볼 필요가 있다.

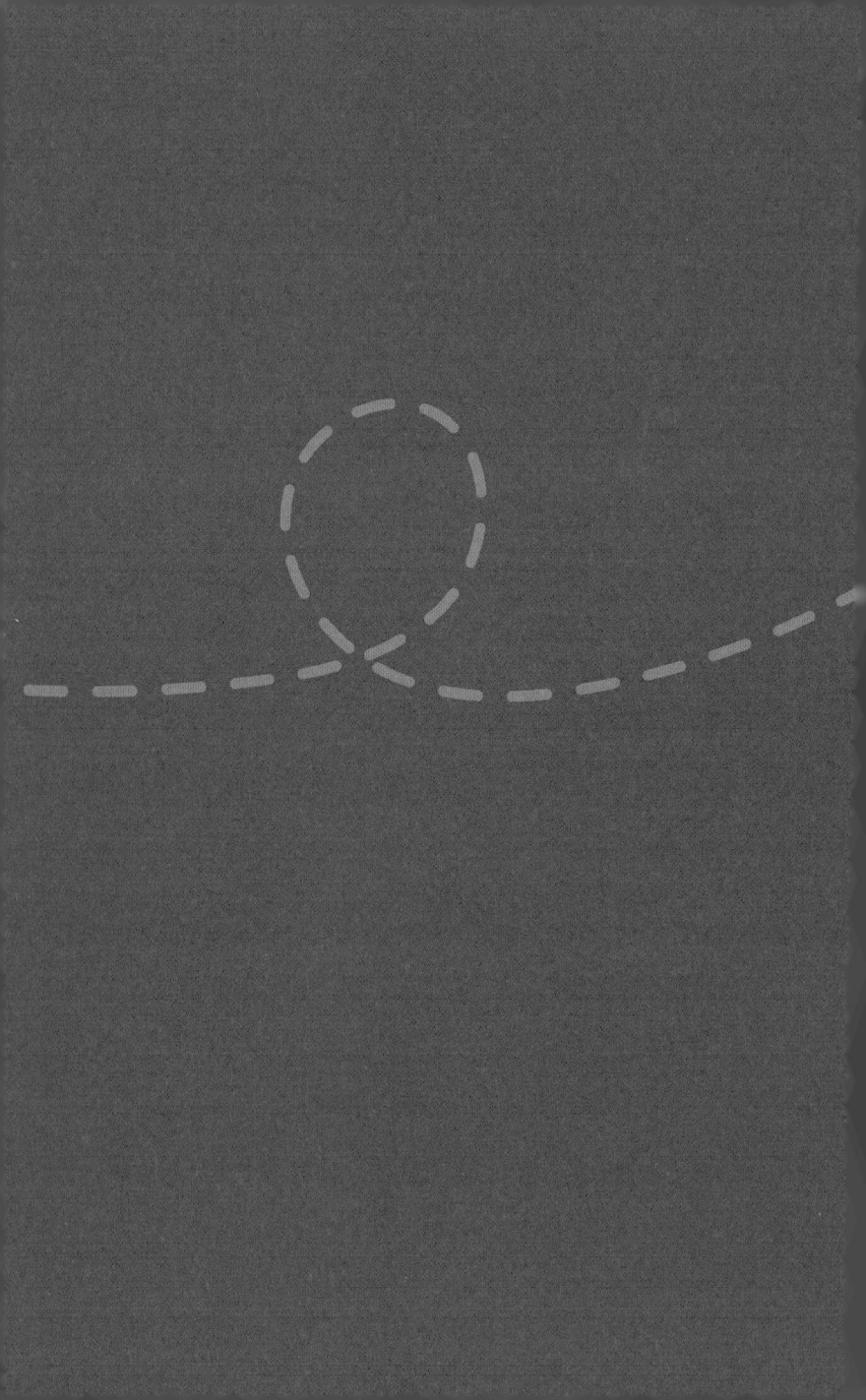

Part 5.

불행하고 싶지 않아
떠나기로 했다

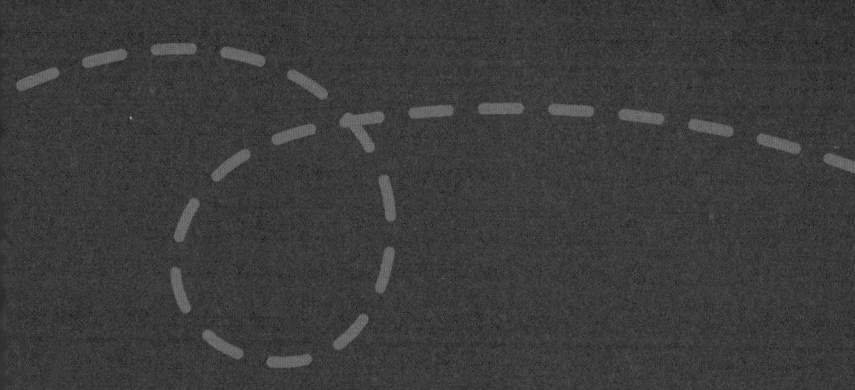

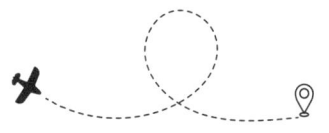

너답게 살아 vs
남들 다 그렇게 살아

'남들처럼 살고 싶지 않아. 나는 못 버틸 거야. 불행하고 싶지 않아. 분명 내가 행복할 수 있는 길이 있을 거야.'

남들이 안정적이라고 말하는 한국에서의 신혼생활을 버리고 아일랜드로 떠날 때는 이런 마음이었다. 그놈의 안정! 하지만 우리는 전혀 안정적이지 않았는데 말이다.

마음이 전혀 안정적이지 않았다. 이미 직업을 가졌으니, 이미 발을 들였으니, 이미 결혼을 했으니 그냥 그렇게 사는 수밖에 없다. 이렇게 말하는 세상이 미웠다. 세상은 또 우리에게 말했다. 인제 와서 새로운 도전을 하기에는 너무 늦지 않았냐고. 아무 이유 없이 일을 그만두다니 앞으로 돈은 어떻게 벌 것이냐고. 남들처럼 사는 게 뭐가 싫으냐고, 왜 해보지도 않고 무조건 안 맞다 하느냐고. 해외 가면 뭐가 될 것 같냐고. 왜 이렇게 무책임하냐고.

'내가 무책임한가?' 곰곰이 생각해봤다. 하지만 아무리 생각해도 그놈의 '안정적인 삶'은 나에게는 전혀 안정적이지 않았다. 나중에 불행해질 것은 불 보듯 뻔했다. 그걸 알고 있는데도 그저 위험성이 크다는 이유로 용기를 내지 않는다면 오히려 그게 더 무책임한 것이 아닐까.

— 왜 학교를 졸업하면, 괜찮은 회사에 취직을 해야 하는 것인가?

— 왜 취직을 하면, 적당한 나이에 결혼을 해야 하는 것인가?

— 왜 결혼을 하면, 하기 싫은 일이어도 모두 참고 견뎌야 하는 것인가?

— 왜 어느 정도 나이가 차면, 새로운 도전은 그저 무모한 것이 되는 것인가?

나는 스물일곱 살까지 우리 사회의 순리대로 살아왔다. 학교에서는 열심히 공부만 했고, 남들이 취업할 때 나 역시 공무원이 되었다. 그러고 나서 그만뒀다. 겉으로 드러내지는 않았지만, 나는 수많은 좌절과 죄책감을 안고 나의 길을 가기로 했다. 수없이 많은 눈물을 흘리고 난 뒤 내린 어려운 결정이었다. 그런데도 무모하고 무책임하다니! 차라리 처음부터 내 성격대로 살아왔더라면 오히려 지금은 욕을 덜 먹었을 것 같다는 억울함도 있었다.

나는 불행하고 싶지 않아서, 남들처럼 살다 간 제명에 못 죽을 것 같아 떠났다. 온갖 욕을 먹으면서 울면서 그렇게. 떠난 우리는 일 년 동안 마음껏 보았다. 더 넓은 세상을, 그 세상에서 살고 있는 사람들을. 우리가 본 그들은 그렇게 안정적으로 살고 있지만은 않았다.

'행복하지 않아.' 하고 말하면 다그치듯 이렇게 말하는 사람들이 있다. '너보다 불행한 사람들 많아. 다 그렇게 사는 거지 뭘.' 마치 별것도 아닌 걸로 유난을 떤다는 듯이, 모두가 몇 움큼의 불행을 참고 견디며 다 남들처럼 살아간다는 듯이. 대부분의 삶 속에 어느 정도 불행이 있다는 것은 부정하지 않는다. 하지만 남들이 다 그렇게 산다, 다 비슷하게 살고 있다는 말에는 동의할 수 없다. 우리가 얼마나 우물 안 개구리였는지 이젠 알아버렸다. 다 그렇게 산다던 사람들은 생각보다 많지 않았다. 와보고 나서야 우리가 살던 세상 밖에는 얼마나 다양한 삶의 모양이 있는지 깨달을 수 있었다.

≈

아일랜드 더블린에 있을 때였다. 내가 일하던 쇼핑몰의 아이스크림 가게는 단골손님들이 꽤 많았다. 그중에는 슬러시를 자주 사 가던 젊은 경비원도 있었다. 처음 나를 봤을 때 중국어로 인사를 해서 첫인상은 좋지 않았지만, 그 뒤로는 영어를 썼고 나와 마주칠 때마다 밝게 인사를 해서 기억에 남는다. 나의 마지막 근무 날, 마감을 하고 있던 나에게 그가 다가와 말을 걸었다.

"오늘 마지막 날이라며? 베로니카(매니저)한테 들었어. 아쉽다. 호주로 간다던데."

"응, 그렇게 됐어. 딱히 특별한 이유는 없고 그냥 공부하러 가는 거야. 인사 고마워."

"별말을. 어딜 가든 잘 되었으면 좋겠다. 나도 곧 그만둬. 여행 갈 돈을 거의 모았거든."

"여행? 어디로 가는데?"

"그냥 여기저기. 세계여행 가려고 나 열일곱 살 때부터 아르바이트했어."

"오, 축하해! 재밌겠다. 행운을 빌어."

그는 다른 가드들보다는 훨씬 젊어 보였지만, 그렇다고 어려 보이진 않았다. 나이를 가늠하기 힘든 외국인이라 할지라

📍 해외에 나오고 나서야 나는 내가 얼마나 편협한 사고로 작은 세상에서 살고 있었는지 알 수 있었다.

도 그는 최소 스물일곱 살은 되어 보였다. 나와 나이가 엇비슷해 보이는 그가 해맑게 세계여행을 외치는 순간 나도 설레었다. 그는 그저 자신의 이야기를 했지만 나는 왠지 고마웠다. 살고 싶은 대로 마음껏 살아봐도 괜찮다고 얘기해주는 것 같았다. 여행 후에 다시 자리 잡을 돈이나 무언가가 있는지는 모르겠지만 나는 그를 실컷 응원해주고 싶었다.

≈

호주 멜버른에 있을 때였다. 호주를 떠나 말레이시아로 가기 위해 우리는 1년간 계약했던 집을 내놓았다. 꽤 많은 사람들이 집을 보러 왔었는데, 그중에는 바로 옆 동에 사는 남자도 있었다. 그는 출퇴근길의 트램에서도, 집 앞 쇼핑몰 근처에서도 자주 보던 사람이었다. 집 보러 언제 올 수 있냐는 남편의 말에 "10분 뒤에 갈 수 있어!" 하고 대답한 그는 평일 대낮에 노란 후드티를 입고 왔었다. 집에서 본인 사업을 하고 있어 바로 올 수 있었다고 한다.

아침 출근길에 그를 본 적도 몇 번 있다. 며칠 씻지 않은 몰골에 슬리퍼를 신은 채 노트북만 들고 트램을 타서는 몇 정거장 가지 않아 내렸다. 그리고 바로 근처 카페에 들어갔다. 나도 아침에 카페에 가서 커피를 마시며 일을 할 수 있다면, 평일 대낮에도 아무렇게나 돌아다닐 수 있다면. 나의 일터가 있는 시티까지 가는 트램을 타며 왠지 그를 부러워했다.

이 두 사람 외에도 참 여럿이다. 유럽의 여러 도시를 다니며 자유롭게 일하고 살던 어학원 친구, 요리학교 입학을 준비하던 서른 중반의 친구, 아무 연고도 없는 남의 나라에 와서 자신의 타투샵을 차리겠다며 차근차근 준비를 하던 친구. 나름 생각을 넓게, 깊게 한다고 자부했던 나는 해외에 나오고 나서야 내가 얼마나 편협한 사고를 가졌는지 알게 됐다. 얼마나 작은 세상에 나를 욱여넣고 있었는지, 사회적 계단에 나를 올려보내려 애쓰고 있었는지. 남들이 다 안정적이라고 하는 삶을 뿌리치고, 나와 가족에 대한 죄책감을 안고 떠나온 외국에서 나는, 내가 당연히 행복할 수 있는, 나와 딱 맞는 길이 어디든 있을 것이라고 말해주는 세상을 봤다.

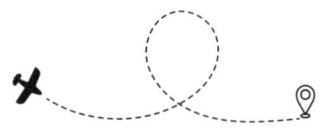

'아싸'들의
소심한 해외 생존기

　야심 차게 아일랜드로 떠났던 2021년 10월. 이 글을 쓰는 지금은 그로부터 1년 하고도 4개월이 지났다. 우리는 여전히 해외에서 '생존'하고 있다. 떠나기 전에 만든 '해외 버킷리스트'도 어느 정도 채웠다. 일 년이 조금 넘는 지난 시간을 다시 돌아보니 그동안 아일랜드, 호주 그리고 여기 말레이시아에서 우린 참 조용히 지낸 것 같다. 남들처럼 신나는 모험도 하지 않았고, 친구들과 시끌벅적한 파티도 열지 않았다. 심지어 우리가 머물렀던 도시의 유명 관광지조차 가보지 않은 곳이 많다.

내향적이어도 괜찮아

　보통 '해외 살이', '세계여행'하면 떠오르는 이미지가 있다. '신나게 사람들과 어울려 술을 마시며 밤새 즐기는' 혹은 '땀을 뻘뻘 흘리며 배낭을 메고 사막을 탐험하는' 그것도 아니면 '현지 친구들을 집에 초대해서 다정한 저녁 식사를 함께하는' 이미지. 우리의 해외 생활은 그 무엇도 아니었다. 늘 우리 둘만 있었다. 그저 일과 집, 카페의 반복. 그러다 무료해지면 가끔 근교로 짧은 여행을 다녀왔다.

첫 도시인 더블린에서 첫 한 달 정도가 지났을 때, '학원-카페-집'을 반복하는, 어쩐지 무기력해 보이는 우리를 보며 이런 생각이 들었다.

'뭔가 더 힘차게 즐겨야 하는 것 아닐까?'

'내키지는 않아도 외국인들과 어울려야 하는 게 아닐까?'

'조금 더 방방 뛰며 더 신나게 지내야 하는 게 아닐까?'

초기에는 우리가 밖으로 나가기를 싫어하고 집에 있기만을 좋아하는 내향형 인간들이라 해외 생활을 잘 못 즐기는 것이 아닌가 하는 생각이 들어 자책할 때도 있었다. 해외 살이를 준비할 때, 자극적이고 신나는 자료들만 봐 와서인지 우리도 '매일을 즐기면서 후회 없이 보내야 한다. 그렇게 하지 못하면 시간 낭비다'라고 생각했던 적도 있었다.

하지만 나는 친구들이 모두 인정하는 극 내향형 인간이다.

남편은 성격 자체는 외향적이지만 집에 있는 것을 좋아하는 집돌이다. 우리 부부는 둘 다 내향적인 사람들이라 연애할 때부터 둘이서 노는 것을 가장 좋아했다. 물론 지금도 그렇다. 해외에 나와서도 항상 둘이 붙어 있었고, 그래서 외로움도 적게 느꼈다. 새 친구를 만들 필요성도 딱히 느끼지 못했다.

만약 둘이 아닌 혼자 왔더라면 어땠을까. 혼자 있는 것을 좋아하지만 또 한편으로 외로움을 잘 타는 나는 아마 고독감에 사무쳐 어떻게든 같이 밥 먹을 친구라도 만들려고 하지 않았을까? 외국 친구들과 조금 더 적극적으로 시간을 보내기 위해 노력했을지도 모르겠다. 어쩌면 처음부터 의지할 수 있는 누군가와 함께한다는 것이 고독하지만 편안한 둘만의 생활을 야기한 것일지도 모른다.

딱 나답게, 딱 우리답게

누군가 "해외까지 갔는데 '인싸'처럼 지내야 하는 게 아니야?" 하고 묻는다면, 나는 그러지 않아도 된다고 답하고 싶다. 그저 본인과 결이 맞는 생활을 하면 된다고.

우리 부부는 여행을 할 때도 게으른 편이다. 평소보다는 부지런해지지만, 어딜 가든 주로 '쉼과 휴식'을 테마로 잡는

다. 여행지는 한두 곳만 가 보고, 나머지 시간은 카페를 찾아 들어가 글을 쓰고 공부를 한다. 맛있는 것을 먹으며 마사지를 받기도 하고, 산책하듯 주변을 걷다가 야식을 한 아름 사 들고 숙소에 돌아와 미래에 대해 얘기를 하다 잠이 든다. 여행도 이렇게 조용한데, 일상은 더 잔잔할 수밖에 없다.

'너무 우리 둘만 있나?' 싶은 생각이 들 때면 다이어리에 적어둔 버킷리스트를 다시 보곤 했다. 나의 인생 버킷리스트에는 '해외 장기체류'가 있었다. 내 기준으로 장기는 1년 이상의 기간을 뜻하는데, 별다른 옵션 없이 그냥 1년 이상 해외에 거주하는 것을 해보고 싶었기에 그렇게 적었다. 나의 성향과는 맞지 않는 '외국인 친구들과 파티하기', '외국인 친구들과 여행 다니기' 등은 하지 않아도 되는 것이었다. 1년만 어딘가에서 살아도 충분히 나의 바람은 잘 이루고 있는 것이기에 굳이 머리 아파가면서 극한의 상황으로 나를 몰아넣지 않아도 되는 것이다. 우리는 잘못 살고 있는 것이 아닌, 딱 우리답게, 나답게 살고 있다.

'남들처럼은 놀다가 가야 하지 않나?' 싶은 생각에 맞지도 않은 일들을 하다 보면 탈이 날 수 있다. 프랑스 파리에 단하루 여행을 간다고 치자. 파리에서의 시간이 하루밖에 없다. 어떤 이는 '파리 가볼 만한 곳'을 검색해보고 하루의 시간을 자잘하게 쪼개어 최대한 많은 곳을 보고자 한다. 또 어떤 이는 파리의 에펠탑을 아침에도, 낮에도 그리고 저녁에도 보고 싶어 할 것이다. 나라면 늦은 아침을 먹고 일단 에펠탑으로 간다. 한 시간쯤 에펠탑 뒤 잔디에 앉아 있다가 골목의 카페를 찾을 것이다. 그리고 저녁에는 골목에 숨겨진 예쁜 와인 바를 찾아가겠다. 이렇듯 사람은 제각기 하고 싶은 여행이 다르다. 살고 싶은 삶의 모양이 다르다.

그러니 어떻게 여행을 하든, 어떻게 살든 나의 결에 맞게만 하면 된다. 해외까지 나왔는데 외출도 잘 안하고 글만 쓰고 있어도, 그것 또한 잘못되지 않은 것이다. 그게 그저 나다운 것일 뿐. 낯선 사람 앞에서는 어색한 미소만 짓고 있는 나는 그렇게 소심한 해외살이를 시작했고, 지금도 여전히 그렇게 살고 있다. 오히려 1년 동안 이렇게 살아도 아무 문제가 없음을 깨달았다. 나는 늘 나와 결이 비슷한 여행을 할 것이고 그렇게 살 것이다.

소심해도 괜찮다. 소극적이어도 괜찮다. 소심한 '아싸'여도 하루하루가 충만한 그런 해외 살이를 할 수 있다. 더욱더 나답게, 이렇게!

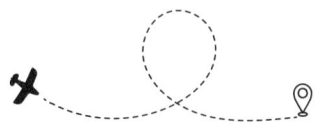

기억해,
영어는 자신감이야!

"영어는 많이 늘었어?"

해외에서 살고 있다는 소식을 전해 들은 주변인들에게서 많이 받은 질문이다. 그런데 이 물음에는 답변을 확실히 하기가 애매하다. 영어를 쓰며 일을 했던 아일랜드와 호주에 있을 때는 영어가 많이 늘었다고 자신 있게 말할 수 있지만, 영어를 거의 쓰지 않고 지내는 말레이시아에서는 영어 실력이 오히려 줄었다. 그래서 항상 공부해야 하는 것이 영어인 것 같다. 하지만 한 가지 확실하게 깨달은 것이 있다.

영어는 이것, 딱 하나면 돼

아일랜드에서 처음 일을 구할 때, 솔직히 두려웠다. 29년을 살면서 영어 공부를 계속했지만, 진짜 영어를 쓰면서 일을 해 본 적도, 면접도 본 적이 없었기 때문이다. 내 성격이 워낙 내향적인 탓도 있겠다. 하지만 어쩌겠나. 돈을 벌어야 하니 두려움을 숨기고 'Hiring'이 붙은, 괜찮은 아르바이트 자리를 열심히 찾았다.

더블린에 와서 처음 한 달을 지냈던 단기 방을 떠나 장기 방으로 이사를 가기 위해 더블린 북쪽으로 뷰잉(계약하기 전, 집을 미리 보는 일)을 갔다. 시티와는 거리가 있지만 신축이라는 점과 아이들과 가족 단위의 주민이 대부분인 평화로운 풍경, 그리고 주위에 음식점, 카페 등이 많다는 점 등 장점이 많아 바로 계약을 하겠다고 했었다. 그리고 계약금을 내러 다시 방문했을 때, 남편이 오다가다 가게 앞에 붙은 Hiring 공고를 몇 개 찍어왔다. 그중에서 나와 남편은 각각 원하는 곳에 지원을 했다. 나는 집과 가장 가까운 씬디Thindi라는 인도 음식 전문점에 'Front&Back 포지션'으로 이메일 지원을 했다.

지원하고 두 시간쯤 뒤에 내일 면접 올 수 있냐는 메일이 왔다. 나는 신이 나서 가겠다고 답장을 보냈다.

면접 당일, 가기 전에 1시간 동안 면접 준비를 했다. '붙고 싶어서'라는 마음보단 '쪽 팔리고 싶지 않아서'라는 생각이 컸다. 이 나이 먹고 외국에서 아르바이트 면접 보러 가는데,

영어를 못하는 나를 보며 당황하는 고용주의 얼굴을 보기는 절대 싫었다. 내 생에 첫 해외에서의 영어면접. 결코 흑역사로 만들 수 없다고 생각했다. 그런데 1시간쯤 브랜드에 대해 알아보고, 영어로 중얼거리고 나니 나는 이미 지쳐있었다.

점점 면접 시간이 다가오고, 나는 커피만 들이켰다. 괜히 장을 일찍 보러 가고, 괜히 동네를 한 바퀴 산책했다. 면접 15분 전부터는 가기 싫다는 생각이 들기 시작했다. 옆에 있는 남편에게는 나름 합리적으로 들리는 다른 핑계를 대고 있었지만 사실은 고작 영어면접이 겁이 난다는 이유만으로 나는 어린애처럼 가기 싫다는 떼를 쓰고 있었다.

그런 나를 보고 남편은 "네가 일하기 싫으면 안 해도 돼. 왜 부담을 가지고 그래." 하며 말해줬고, 그 말을 듣자마자 나는 면접에 가야겠다는 생각이 들었다. 이 면접이 도대체 뭐라고. 그냥 학원에서 선생님이랑 친구들이랑 얘기하는 것처럼 하면 되는데, 그게 뭐가 그렇게 걱정된다고 누군가와 한 약속을 이렇게 쉽게 깨려고 할까. 내겐 좋은 기회일지도 모르는데 여기까지 와선 왜 시도도 안 해보고 포기하려는 걸까. 오만가지 생각이 다 들었다. 면접을 포기하면 자기 혐오감이 생길 것 같아 결국은 가방을 둘러메고 집을 나섰다. 여유로운 척 주머니에 손을 넣고 걸었다. 그리고 3분 전에 면접 장소에 도착했다.

'옆집 아저씨랑 스몰톡 하러 간다'라고 주문을 외며 문을 열고 들어갔다. 동양인 손님은 거의 없는지 내가 들어가자마자 놀란 듯이, 환하게 웃으며 반겨주는 인도인 사장님 덕분에 긴장이 조금 풀리기 시작했다. 나의 또 다른 자아인 '사회인 나'가 나오기 시작하며 입에 경련이 일어나도록 웃고 있었다. 인상 좋은 척. 영어를 자유롭게 구사하는 척. '내 앞에 있는 머리가 조금 벗겨진 인도 아저씨는 옆집 아저씨다'라고 생각하며 인터뷰를 시작했다.

"Hi. How are you?", "Good, yourself?"를 주고받고 내 앞에 앉은 고용주가 뱉은 말은 의외였다.

"Your english is pretty good."

"반가워. 나 면접 보러 왔어." 이렇게만 말했는데 영어 잘한다는 칭찬을 들었다. 단어만 더듬더듬 뱉을 수 있는 수준의 지원자가 많았던 것일까? 인사치레인가? 내 이력서가 애매했나? 어떤 이유든 그의 말에 나는 자신감을 얻기 시작했다. 어쩌면 내가 그들이 요구하는 영어 수준에는 맞출 수 있을지도 모른다는 생각이 들었다. 원어민처럼 완벽하게 말하지 않아도 충분하다고.

사실 내가 지난 몇 시간 동안 상상했던 영어면접은 이랬다.

고용주 ： Why don't you tell about yourself?

나 ： Um Ok…… a…… my my name is…… from korea south.

고용주 ： Hey. Perfect english speaking is crucial for this position. So I don't think you can do it.

나 ： Uh ok. I understand. Bye.

극단적이긴 하지만, 내가 상상하는 나의 영어 하는 모습은 저랬다. 완벽하지 못한 문장은 결국 눈살을 찌푸리게 만들 것 같고, 그럼 말을 안 하느니만 못하지 않을까, 하는 생각에 걱정만 쌓였다.

하지만 완벽하진 않아도 내가 하고 싶은 말을 열심히 하는 모습을 인내심 있게 기다려주는 고용주의 모습. 말이 끝나기가 무섭게 "Perfect, perfect. That's what I'm looking for"라며 엄지를 치켜세우는 그. 내가 말이 막히면 바로 더 쉽게 대답할 수 있게 다른 질문을 해주는 사장님 덕분에 나는 첫 영어면접을 매우 성공적으로 끝낼 수 있었다. 그리고 나는 생전 처음으로 20분가량의 영어면접을 통해 외국인에게 고용이 되었다.

물론 시급은 최저시급에서 조금 더 높았고, 지원자가 많은 상황도 아닌 것 같았다. 급하게 사람이 필요한 것 같았지만 그건 상관없었다. 무슨 이유였든 나는 '영어를 더듬거려서 쪽 팔릴 수 있다'라는 두려운 상황에서 도망치지 않았고, 그 결과는 성공적이었으며 내 첫 영어면접은 흑역사가 되지 않았으니 나는 충분히 만족했다. 첫 출근 전에 면접을 본 아이스크림 매장이 더 마음에 들어 그곳에는 미안하다고 거절했지만, 지금도 그분과의 면접이 인상 깊게 남아있다.

영어는 결국 자신감이다. 그리고 기세다. '나는 영어를 잘 못해'라고 생각하면 아무리 공부를 해도 소용이 없다. 외국인 앞에서 말을 못 하고 끝날 것이다. 문장이 완벽하지 않아도 상대방은 다 알아듣는다. 그들은 우리가 원어민이 아님을 잘 알고 있다. 그리고 가끔은 '너 잘하고 있어! 그래그래 계속해 봐!' 하며 응원하는 눈빛을 받기도 한다. 외국인이 더듬더듬 한국어를 할 때 대부분의 한국인이 그러하듯 말이다. 그러니 겁먹지 말자. 영어는 무작정 외국에 간다고 해서 느는 것은 아니지만, 나처럼 '영어로 대화를 하는 자신감'을 배울 수는 있다. 그리고 그것만 가지고 와도 8할은 성공이다.

'내 영어는 완벽하지 않아'라고 생각해도 일단 말을 뱉어보자. 그게 시작이 된다. 기억하자. 영어는 무조건 자신감!

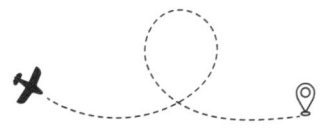

명랑하게
살고 싶어졌다

더블린의 아이스크림 매장에서 일하다 보면, 특히 아이들을 많이 만난다. 3층에 있는 키즈 카페에 가기 위해 쇼핑몰에 오는 아이 동반 가족이 꽤 많은데, 아이들은 저 멀리서부터 알록달록한 우리 가게를 보고 달려온다. "Ice cream!" 엄청난 고음으로 소리를 지르며 잡고 있던 엄마의 손을 놓고 달려오는 아이를 보며 나는 환하게 웃는다. 급히 쫓아오던 엄마가 "No. Let's go"라고 말하면 아이는 괜히 나를 본다. 마치 설득 좀 해달라는 듯이. 웃음이 절로 나온다. 일하는 것도 즐거운데 이렇게 예쁜 아이들을 매일 볼 수 있다니. 하지만 좋은 일도 있듯이 안 좋게 마음에 남는 일들도 제법 있었다.

한 번은 여자아이 두 명이 아이스크림을 주문했다. 그 쇼펑몰에는 어른들 없이 다니는 아이들이 몇 있었는데, 그 두 명은 처음 본 아이들이었다. 큰 아이스크림콘 두 개를 주문해서 나는 정해진 양보다 조금 더 넉넉히 담아줬다. 생각보다 큰 아이스크림을 쥔 아이들은 흥분을 감추지 못하고 돌고래 소리를 냈고, 엄지를 치켜올리며 "Thank you!"라고 했다. 기분 좋게 다음 일을 하고 있었다. 그런데 5분쯤 지났을까, 아까 그 아이들이 다시 돌아왔다. 한 아이의 콘은 거의 그대로였고, 다른 아이의 손에는 아이스크림이 없는 빈 콘이 있었다.

'뭐지? 왜 다시 왔지?' 바로 경계심이 발동했다. 이 일의 바로 며칠 전, 거스름돈을 잘못 줬다며 뻔한 거짓말을 하는 못된 아이들을 만났기 때문에 나는 또다시 얼굴에 힘을 줄 수밖에 없었다. 그 아이들은 내 앞에 와서는 갑자기 해맑게 웃었다. 그리고 사정을 얘기하기 시작했다.

"아니 글쎄, 2층 마트 앞에서 놀고 있었는데요, 제 친구가 자기 발에 걸려 혼자 넘어졌지 뭐예요. 그래서 아이스크림도 하나도 못 먹고 다 흘려서 난리도 아니었어요."

이러고 까르르 웃는데 나는 여전히 무표정이었다. 그 애들이 무슨 말을 할지 알았다. 분명 이건, 아이스크림을 흘렸으니 무료로 다시 리필해 달라는 것이다. 역시 말로만 듣던 더블린의 무시무시한 틴에이저들인가, 어리고 예쁜 소녀들을 대상으로 말도 안 되는 상상도 했다.

"그래서 아이스크림 하나 더 달라는 거니?"

"네. 같은 걸로 하나 주세요."

"미안하지만, 그건 너희 실수라 무료로 줄 수는 없어."

그 아이들은 적잖이 당황했다. 눈동자를 이리저리 굴렸다. 그러고는 손을 아주 크게 내저으며 말했다.

"아녜요! 돈은 물론 낼 거예요. 그냥 말씀드린 거예요. 왜 아이스크림이 없어졌는지."

나는 순간 '헙' 하고 손으로 입을 막을 뻔했다. 얼굴이 마스크로 가려져 있어서 다행이었다. 그저 나에게 아이스크림 스토리를 전해주고 싶었을 뿐인데 넘겨짚고 인상부터 팍 찡그리다니. 어른으로서 참 부끄러웠다. 나는 얼른 미안하다고 사과를 하고 이전보다 더 넉넉히 담아주었다.

그때는 물론, 불과 며칠 전 사기를 치려는 아이들을 봐서 경계가 높아졌던 까닭도 있었다. 하지만 그토록 해맑게 얘기하는 아이에게 차갑게 말하다니. 스몰톡을 한 것뿐인데 다짜고짜 무료로는 안 된다니. 곧바로 사과는 했지만 혹여나 그 아이가 상처받지는 않았을까 한동안 걱정했다. 만약 그때, 내가 웃으며 토크를 받아줬더라면 어땠을까. 두고두고 후회했

다. 그곳에서 일할 때는 참 많은 일이 있었지만 그때의 일만
은 유독 길게 마음에 남아있다.

Why So Serious?

내가 가장 좋아하는 미국 드라마인 〈모던 패밀리Modern
Family〉에는 다양한 캐릭터가 있다. 그중에서도 세 아이의 아
버지이자 반듯한 남편, 필 던피Phil Dunphy는 내가 닮고 싶은
성격의 소유자이다. 시시껄렁한 농담을 자주 하는 그저 유쾌
한, 세상 심각한 일도 평범하게 만들어버리는 그런 성격. 나
는 워낙 생각이 많고 작은 일도 심각하게 받아들이는 재미없
는 사람인지라 필 같은 사람이 늘 부러웠다. 누가 농담을 하
면 그냥 웃고 넘기는 것만으로 그치지 않고 바로 더 센 농담
으로 받아치는 사람이 되고 싶었고, 안 좋은 일이 생겨도 호
쾌하게 웃고 넘길 수 있는 사람이 되고 싶었다. 그렇게 명랑
하게 살고 싶었다.

그런데 〈모던 패밀리〉의 필은 아일랜드와 호주, 어디에서
나 볼 수 있었다. 처음 만난 사람과도 눈을 다정하게 맞추고
시시한 인사말을 길게 하는 문화가 있는 그 나라들은 '명랑
하게 사는 법' 기초를 다지기에 안성맞춤이었다. 아르바이트

를 하며 만나는 손님이 하루에 10명이라면 그중 8명은 꼭 한마디라도 더 붙이고 간다. 크레페를 만들 때는 특히 스몰톡을 많이 했다. 워낙 세상 심각한 성격이라 처음에는 어색했다. '왜 나한테 저런 얘기를 하지?' 하는 생각도 했다. 하지만 이내 친절한 눈으로 일상적인 얘기를 하는 그들이 좋아졌다.

아이스크림 소녀들은 근무 초기에 만났으니, 그래서 더 미안한 것인지도 모르겠다. 조금 더 명랑해지고 난 뒤에 만났더라면, 그래서 단순한 스몰톡이라는 것을 파악했었더라면 그렇게 말하지 않았을 텐데.

아일랜드와 호주를 거쳐 말레이시아로 온 지금까지, 1년이 조금 넘는 시간에 불과했지만, 확연히 다른 세상 속에서 살며 나에게는 꽤 많은 변화가 일어났다. 나는 낯선 사람과도 시시한 농담을 주고받을 줄 아는 성격이 되었다. 웬만큼 가까운 사이가 아니라면 말도 잘 못 붙이는 내 성격에 이는 꽤 큰 변화이다. 나는 언제나 이렇게 조금 풀어진 채 살고 싶다. 항상 농담을 주고받듯이, 그렇게 명랑하게.

정말 미안해, 아이스크림 소녀들아!

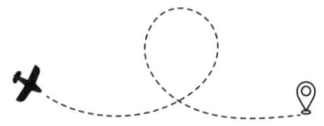

돈 없다는 소리,
그만두기로 했다

"이 모니터 어때? 진짜 괜찮지. 내가 많이 찾아봤는데……"

"지금 우리 그런 거 살 때 아니야. 계속 말했잖아. 우리가 지금 어떤 상황인데."

"나도 진짜 사려고 말한 거 아니야. 그냥 좀 찾아본 거야. 구박 좀 그만해!"

입을 삐죽거리면서도 장화 신은 고양이의 눈으로 나를 바라보는 남편. 나의 '돈 없다' 공격에 당해 비 맞은 생쥐처럼 축 처진 그의 모습은 우리 집의 흔한 풍경이다. 실제로 사지는 않지만, 남편의 거의 유일한 취미는 '온라인으로 전자제품 구경 및 전자기기 리뷰 영상 시청'일 정도로 전자기기를 좋아하는 편이다. 이틀에 한 번은 꼭 반짝이는 눈으로 그가 좋아하는 것을 나에게도 공유하고자 하는 마음 겸 혹시 살 수 있을지도 모른다는 희망으로 하나씩 보여주는데, 그때마다 나에게서 돌아오는 반응은 깊은 한숨과 돈 없다는 잔소리 폭격뿐이다.

이렇게 돈 없다는 말이 입에 붙은 것은 우리가 해외에 나온 후부터였다. 외식도 한 번 하기 힘든 아일랜드와 호주를 거쳐 그나마 물가가 저렴한 말레이시아에서 살고 있는 요즘은 살 만하다고 느끼는 중이다. 그래도 프리랜서로 일하는 우리의 수입은 여전히 적고, 남편의 석사가 끝나는 2023년 10월까지는 일을 못 하는 말레이시아에 있어야 하기 때문에 '돈을 아껴야 한다'라는 생각을 항상 하고 있다.

그놈의 돈이 뭐길래

1년 전, 한 살이라도 젊을 때 더 넓은 세계를 경험하겠다고 무작정 아일랜드로 떠날 때, 우리는 한국에서 모아놓은 모든 돈을 가져가지 않았다. 지출 통제가 잘 안되어(특히 식비) 예금 통장에 있는 돈을 잘 지키지 못하는 우리의 성격을 우리가 가장 잘 알고 있기에, 딱 초기 정착 비용 정도인 천만 원만 가지고 나왔고, 나머지는 주식, 적금 등 내키는 대로 빼낼 수 없는 계좌들에 묶어두고 왔다. 해외에서 몇 년간 살더라도 언젠간 한국에 돌아와서 살 요량이었기에, 이 돈은 해외에서 엄청 큰일이 없으면 절대 쓰지 않기로 했다.

다행히 아일랜드와 호주에서는 일을 할 수 있는 비자였기에 둘 다 열심히 일하며 돈을 모았지만, 말레이시아에서는 둘 다 일을 할 수 없는 비자이기에 이전 두 나라에서 모았던 돈으로 당분간 생활해야만 한다. 모아 놓은 돈을 쓰는 것이기에 최대한 아껴야 한다는 말이다. 그래서 그놈의 '돈 없다'는 야박한 소리가 어느새 입버릇처럼 착 붙어버렸다.

이렇듯 아껴 살아야 하니 돈 없다는 주문을 외쳐도 괜찮다 싶었다. 부부 둘 중 한 명은 이렇게 우악스럽다고 느껴질 정도로 잔소리를 해야 한다고 생각했었다. 남편은 별로 신경을 안 쓰는 것 같았기에 나라도 이렇게 빡빡하게 굴어야 한다고. 그런데 2022년 연말 준비를 하러 간 집 근처 쇼핑몰에서 나의 이 야박한 입버릇을 고쳐먹게 한 일이 있었다.

우리는 여느 때처럼 쇼핑몰을 돌아다니며 부족한 식료품과 생필품을 사고 있었는데, 맛있어 보이는 구이용 고기를 보니 전기 그릴이 너무나 사고 싶어졌다. 원래 사고 싶었었지만 필수품은 아니었기에 딱히 남편에게 말은 안 했었다. 그런데 실제로 보니 사고 싶어졌다. 거실에서 남편과 도란도란 고기를 구우며 저녁을 먹는 모습이 상상되며 전에 없던 구매 욕구가 샘솟았다. 마침 연말 세일도 하고 있었지만, 그동안 남편한테 한 짓이 있으니 차마 사고 싶다는 말은 못 하고 우물쭈물하며 보고 있으니 남편이 말했다.

"이거 사고 싶어? 하나 살까? 마침 할인도 하고 있어."

한국 돈으로 고작 8만 원밖에 안 하는 전기 그릴이었지만, 나는 그 순간 남편이 고맙게 느껴졌다. 나 같았으면 "일단 생각해보고 다음에 사자. 얼른 가자!"라는 답답한 말만 늘어놓으며 남편의 손을 잡아끌었을 것이다. 그런데 남편은 내가 사고 싶어 하는 것은 일단 사라고 한다. 언제나 그랬다.

진짜 물건을 살 수 있느냐 없느냐는 사실 중요한 것이 아니었다. 그저 사고 싶은 것은 사도 된다는 말 한마디가 중요하다. 그는 항상 그렇게 말을 해 줌으로써 나는 남편에게 뭐든지 마음 편하게 얘기하고, 편하게 기댈 수 있는 것이 아닐까라는 생각이 들었다. 정기적으로 돈 정리를 하면서 남편도 우리가 현재 얼마를 쓸 수 있는지 알 텐데, 그는 그냥 그렇게 말해주는 것이다.

그런데 나는 아니었다. 평소에는 남편을 '공주'라고 부르며 예뻐하지만, 뭘 사려는 속셈으로 말을 걸어오면 눈빛부터 달라지는 날 보면서, 과연 그는 나에게 뭐든지 편히 말하고 편히 기댈 수 있었을까.

계산해 보면, 특히 호주에서 꽤 많이 모았기 때문에 말레이시아에 있는 기간 동안 빡빡하게 살지 않아도 될 정도로 돈이 없지는 않다. 그저 걱정이 많은 성격인 나는 지레 겁부터 먹고 뒷걸음질 치며 불필요한 지출에 대해 거부감을 표출했던 것이다. 우리 가족의 미래를 위해서라는 명목으로. 무슨 말만 하면 돈 없다는 힘 빠지는 말을 듣는 남편의 마음은 전혀 배려하지 않았다. 있다가도 없고 없다가도 있는 돈. 그까짓 돈 걱정 때문에 남편이 눈을 반짝반짝 빛내며 말하는 것에 그렇게 야박하게도 굴었는지 모르겠다.

나도 내 물건을 전혀 안 사지만, 남편도 호주에서 샀던 맥북을 제외하고는 본인 물건을 거의 사지 않는 편이다. 그냥 좋아하는 제품을 보는 것만으로도 신나서 좋아하는데. 고생하며 번 돈으로 하나 살 수도 있는 건데. 나의 이 빡빡한 반응 때문에 남편은 얼마나 힘이 빠졌을까(그런데 매번 잔소리를 듣고도 일주일에 세 번은 찔러보는 남편이 대단하긴 하다).

아침부터 새벽까지 엉덩이에 땀띠 날 정도로 공부하는 남편. 그가 나에게 항상 그랬듯, 나도 그의 마음이라도 편하게

해주기 위해 나는 이제 남편에게 돈 없다 소리를 그만하기로 했다. 아일랜드와 호주에서 열심히 벌었고 지금은 잠깐 쉬며 아껴 살 듯, 앞으로 최소 10년은 이곳저곳을 떠돌며 지금처럼 살아갈 텐데, 이 세월을 함께 살아갈 남편을 조금이라도 더 편하게 해주기 위해. 그리고 말을 하기 전에 먼저 그의 입장에서 한 번 더 생각해보자는 다짐도 함께.

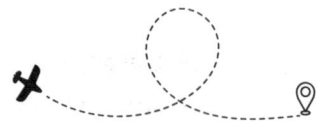

이제 충분해,
이렇게 말할 수 있을 때까지

"너희는 그럼 계속 외국에 사는 거야?"

"아니, 첫 아이 낳기 전까지만!"

궁금해서 물어보는 친구들의 물음에도 이렇게, "대체 언제까지 그러고 외국에 있을 거니?" 하고 답답하다는 듯이 물어보시는 부모님들의 물음에도 나는 항상 "아이를 낳기 전까지"라고 답한다. 이 말은 우리가 딩크족이 아니라는 것을 알려주어 부모님을 안심시킴과 동시에 머리 아프게 이것저것 답을 생각해낼 필요도 없는 가성비 좋은 답이 된다. 일단 이답변으로 얼렁뚱땅 넘기는데 실제로 아직 아이 계획은 없다. 결혼 3년 차에 딩크족은 아니지만, 당장은 여력이 없다. 돈도 없을뿐더러 부모가 될 엄두조차 나지 않는다.

그 이유는 몇 가지가 있는데 첫째로는 일단 돈이 없다. 아이 하나 키우는 데 최소 2억이 든다고 하는데, 그것도 옛날 말이니 요즘은 아마 못해도 3억은 들지 않을까 싶다. 그런데 우리는 지금 말레이시아 페낭에서 남편은 석사 과정을 밟고 있고 나는 글을 쓰며 생계를 간간히 유지하고 있다. 한국에 집은 있지만 그 외에 딱히 모아놓은 돈도 없는 데다가, 아일랜드에서 모았던 돈은 호주와 말레이시아에서 쓰고 있고, 호주에서 모은 돈은 다음에 갈 나라에서 써야 해서 건드릴 수 없다. 하루살이 같은 해외 생활. 우리 스스로도 건사하기 벅찬 상황에서 아이를 낳겠다는 것은 '나 무책임한 사람이요!' 하고 선언하는 것과 같다.

아직 정착하고 싶은 나라를 못 찾았다는 것도 또 다른 이유이다. 뼛속까지 한국 체질이라 몇 년의 해외 살이가 끝나면 뜨끈한 국밥이 있는 한국으로 돌아와 살고 싶었는데, 아이를 낳은 후의 삶을 고민하다 보면 자꾸만 외국에서의 정착을 생각해 보게 된다. 특히 교육 분야에서는 더더욱 그렇다. 90년대생인 우리 부부가 받은 한국식 교육은 사실 좋다고는 말할 수 없다. 한국의 주입식 교육도 서서히 변화하고 있다고는 하지만, 그래도 여전히 '결국은 좋은 대학'이라는 인식은 바꾸기가 쉽지 않을 것 같은데, 나는 처음부터 아이가 그런 목표

의식이 없었으면 하는 바람이다. 그렇다면 외국에 정착하는 것이 더 낫지 않을까라는 생각이 든다. 그런데 그러기 위해서는 우리가 평생 살고 싶은 나라를 찾는 것이 먼저인데, 아직 그런 곳을 찾지 못했다. 우리조차 정착하고 싶은 곳을 찾지 못했는데 2세 계획은 언감생심 꿈도 못 꿀 일이다.

마지막 이유는 가장 주관적이지만 어쩌면 가장 중요한 것일지도 모른다. 신혼은 최대한 즐기고 싶다는 것. 청약 조건의 기준으로 본다면, 나라에서 인정해주는 신혼 기간은 무려 7년이다. 그래서 우리는 7년 동안, 그러니까 앞으로는 4년을 더 신혼부부라고 말하고 다닐 작정이다.

연애를 시작한 스물세 살부터 서른한 살인 지금까지, 우리는 꽤 오래 매일같이 붙어있었지만 그래도 여전히 부족하다고 느낀다. 어디를 가든 무엇을 하든 우리 둘만의 시간을 마음껏 보낼 수 있을 때 최대한 누려보자는 계획이다. 마침 돈도 없겠다, 똑바른 직업도 없겠다, 살고 싶은 곳도 마땅치 않겠다. 딱히 '곧 2세 계획을 할 수 있다'라는 선택지가 있는 것도 아니어서 오히려 다행일지도 모르겠다. 그래서 우리는 늘 둘만의 여행 계획을 짜고 있다.

결혼과 출산 사이

결혼 후 2년, 한국에 있을 때는 아기에 관한 질문을 꽤 많이 받았다. 그럴 때마다 '아직 하고 싶은 일이 많습니다'라고 대답을 해버리면 "결혼을 했는데 어떻게 하고 싶은 것만 하고 사니"라는 말을 들을 때가 많았다. 우리는 그저 서로가 좋아서 결혼을 한 것뿐인데, 언제까지 아이를 낳겠다는 약속을 한 것도 아닌데, 결혼에 뒤따라오는 다음 단계는 당연히 임신과 출산인 것인가.

성인이 된 후의 단계는 보편적으로 이렇다고 한다. 1단계-대학, 2단계-취업, 3단계-결혼, 4단계-임신과 출산, 5단계-육아. 일단 5단계에 들어서면 '이제 뭐 해야지'라는 주변의 오지랖은 사라지지 않을까 싶다. 나와 남편도 딱히 큰일이 없다면 이 수순을 밟을 것 같다. 우리는 단지 지금은 3단계와 4단계 사이의 3.5 단계 '둘만의 신혼을 즐기는' 시간에 있는 것이다. 그리고 그 시간이 조금 긴 것일 뿐. 나는 어떤 방식으로든 여느 부부에게나 이 3.5 단계가 반드시 필요하다고 생각한다.

'일단 낳으면 어떻게든 키워진다'라는 주변인들의 말을

들을 것이 아니라, 이전 생활에 미련이 남지 않을 만큼 충분히 신혼을 즐겼다는 생각이 스스로 들 정도가 되어야 한다고 본다. 아이를 낳는 것은 거의 부부의 인생을 거는 것과 같다고 했다. 한 인간을 낳고 키우는 것에는 상당한 책임감과 노력이 수반된다. 그래서 우리가 지나고 있는 이 3.5 단계는 더욱 필요한 것이다. 아이가 없다고 해도 결혼 후의 상태는 미혼일 때와는 또 다르다. 그래서 사람들은 결혼하기 전에 싱글이었던 삶을 돌아보기도 하고 인생의 새로운 장으로 들어갈 각오를 다진다. 임신과 출산을 결정하기 전도 마찬가지다. 마땅히 그럴 각오를 해야 한다. 어쩌면 미혼과 기혼 사이보다 훨씬 더 심사숙고해야 할지도 모른다.

나는 그렇게 생각한다. 결혼까지는 '철없는 결혼'이 가능하다고. 어쩌나 저쩌나 성인 두 명이니까. 하지만 출산 앞에 '철없는'이나 '준비되지 않은' 따위의 형용사가 붙는 것은 말 그대로 큰일 나는 것이다. 여행도 좋아하지만 아기도 무척 좋아하는 나는 가끔 남편이 사랑스러울 때면 '이 남자를 닮은 아이를 얼른 낳고 싶다'는 생각이 들어 흔들리곤 한다. 그럴 때면 빠르게 머리를 두어 번 흔든다. 어떤 조건에서도 아직 준비가 되지 않았음을 스스로 되새긴다.

사실 돈이 없다거나 살고 싶은 도시를 못 정했다거나 하는 것은 부수적인 이유다. 내가 준비되지 않았다고 생각하는 가장 큰 이유는 우리의 여행이 아직 끝나지 않았기 때문이다. 누구나 각자 오래 갈망해왔던 것이 있을 것이다. 내 경우엔 그것이 여행이었다. 한두 번이 아니라 지쳐서 못 갈 때까지, 최대한 많은 나라를 가보는 것이 목표였다. 그것은 안정적인 정착을 해야만 하는 출산 후에는 하기 어려운 것이라 나는 항상 "첫 아이를 낳기 전까지 돌아다닐 거야"라고 말을 한다.

　　출산과 육아는 무조건 힘들지만, 그나마 준비가 된 출산은 고통보다 행복이 더 크지 않을까. 나는 준비된 엄마가 되기 위해 오늘도 여행 계획을 만든다. '이제 충분해'라고 스스로 말할 수 있을 때까지 우리의 해외 살이는 계속될 것이다.

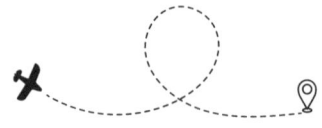

MZ세대라서
이렇게 사는 것은 아니고요

'해외로 떠난 것을 후회하진 않나요?'

무작정 해외로 나온 지 1년하고도 3개월쯤이 된 지금, 이 질문에만큼은 확실한 답이 생겼다. '후회할 수가 없다'가 그 것이다. 솔직히 첫 도시였던 더블린에서 첫 한 달 정도는 한 국에서의 편했던 생활에 미련이 많았지만, 타국의 낯섦조차 우리의 일상이 되고 난 후부터는 그저 '어떻게 하면 더 재밌 게 살아볼까?' 하는 고민뿐이었다. 한국에 있던 신혼 2년의 사진을 정리하다 보면 새삼 놀라곤 했다. '맞아. 여기도 자주 갔었지.' 한국을 떠나온 지 10년은 넘은 것처럼 까마득했다.

'하고 싶은 일'을 먼저 묻는 세상이 올 때까지

공무원 시험에 합격을 하고 얼마 지나지 않아 고등학교 친구들을 만난 적이 있었다. 그때 나는 시험에 합격했다는 기쁨에 취해 있었고, '역시 나는 최고야'라는 알 수 없는 오만함이 가득한 상태였다. 나까지 총 세 명이 모였는데, 그중 한 명은 학생 때부터 나처럼 자유분방함으로 가득한 친구였다. 맥주를 마시면서 스물여섯 살의 우리는 차례로 안부를 전했는데, 그 친구는 취업이나 시험을 준비하지 않고 돌연 유럽으로 떠날 것이라는 포부를 밝혔다. 그것도 봉사활동이나 여행을 하면서 지낼 것이라고. 지금의 나였다면 '와!' 하며 그 용기에 박수를 먼저 쳤을 것이다. 그런데 그때의 나는 공무원에 합격해 남들 다 그렇게 사는 '그 길'에 무사히 들어간 상태였기 때문에, 조금 다른 길을 가려는 사람들에게 멋대로 오지랖을 부리는 철부지였다. 그래서 어디로 가냐, 누구랑 가느냐 등의 뻔한 질문 끝에 결국 바보 같은 질문을 했다.

"거기서 취업은 안 해? 그럼, 돈은 어떻게 벌어? 일단 돈이 있어야 하잖아!"

돈 돈 돈. 대체 내가 언제부터 현실적인 사람이었다고, 유럽에서의 반짝반짝 빛나는 꿈을 말하는 그녀에게 그놈의 돈 얘기를 꺼냈을까. 그 말은 마치 '나는 현실적이고, 너는 알록달록한 이상만 좇고 있어!' 라고 들렸을 것이다.

그 친구는 내 말을 대수롭지 않게 넘겼을 수도 있지만, 나는 공무원을 그만두기로 결심한 순간부터 왠지 그 일이 자꾸만 떠올랐다. 어쩌다 내가 휴대폰을 초기화하는 바람에 연락이 끊겨 사과를 못 해서, 그 미안함과 부끄러움이 남아 계속 생각나는 것일지도 모르겠다.

'하고 싶은 일'과 '꿈'에 대해 말을 할 때면 응원 섞인 대답 대신 언제나 '돈'과 '기타 현실적인 부분'들은 어떡할 것이냐는 우려를 들어야 했다. 아무것도 모르던 그 시절 나의 오지랖을 포함해서, 아마 조금 다른 삶을 꿈꾸던 그녀에게는 그런 비슷한 타박이 참 많이도 지나갔겠다. 우리도 그랬으니까.

요즘은 다양한 삶의 모양이 많이 비춰지면서 우리도 '요즘 애들답게 사는구만!'이라는 꽤 긍정적인 반응을 얻고 있다. 나는 이 변화가 참 마음에 든다. 더 다채로운 삶이 응원받을 때까지, 일단 나부터 하고 싶은 일은 그냥 그 자체로 지지해 줄 것이다.

인생은 사실 다 그렇지는 않더라

인생에서 가장 열심히 살았던 고등학교 3학년. 오로지 '인 서울'을 꿈꾸며 새벽에 등교해 늦은 밤이 되어서야 집으로 왔던 그때의 나는 그저 학생답게 살았다. 세상이 말하는 대로 나이에 맞게 열심히 살면 언젠가는 내가 살고 싶은 대로 살 수 있게 될 거라고 생각했다. 하지만 살고 싶은 대로 살 수 있는 때는 결코 오지 않았다. 나이를 먹을수록, 사회의 신분이 바뀔수록 더 무거운 족쇄가 걸렸다. 이렇게 세상에 더 휘둘리다간 내 인생 끝나겠다 싶어 떠나려니 이제는 그런다.

'인생은 다 그렇다. 다 그렇게 산다. 유별나게 굴지 마라.'

내가 어떤 성향인지 너무도 잘 알지만 매일 이런 말을 들으면 점점 의심이 든다. 사람들 다 그렇게 사는 세상에 혼자서만 발을 못 맞추는 건가. 내가 싫어도 안정적으로 사는 것이 당연해야 하는 건가. 내가 혹시 사회 부적응자가 아닐까. 떠나고 싶어 자꾸만 엉덩이가 들썩거리는 나를 보며 왜 남들처럼 살지 못하냐며 자책을 할 때도 있었다.

하지만 이제는 안다. 그 사람들은 틀렸다. 아니 그들은 모른다. 하나의 길만 살아본 그들은 세상의 많고 많은 다른 인생의 길을 모르기에 그냥 그렇게밖에 말을 못 하는 것이다. 적어도 내가 1년 동안 본 세상에는 최소 몇만 가지의 삶은 있는 듯했다. 단순히 많은 직업이 아니라 '삶의 모양'이.

우리 부부의 1년 해외 생존기는 누구나 할 수 있는 일상 같은 여행이다. 마치 '하고 싶은 대로만 했다가는 반드시 큰 일이 날 것이야'라고 겁주듯 말하는 주변인들의 말을 한 귀로 흘릴 수 있다면 누구든지 가능하다. 손에 꽉 쥔 것들을 놓을 용기만 있다면 누구라도 도전할 수 있다.

만약, 아일랜드로 떠나기 전의 나와 같은 고민을 하고 있는 사람이 있다면 꼭 말해주고 싶다. 다들 그렇게 사는 건 아니라고. 매일 출근을 하고 매일 8시간씩 사무실에 있으면서 그리 편하지 않은 사람들과 부대끼는 하루를 보내는 건 아니라고. 분명 다른 길이 있다고. 아니 실은 엄청 많다고! 그러니 꼭 그렇게 살지 않아도 된다고. 본인과 맞는 인생을 찾아봐도 된다고.

아쉽게도 내 주변에는 그래도 된다고 말해주는 사람이 없었다. 그래서 나는 한참 동안이나 나를 의심했고 나와 싸워야 했다. 그래서 나는 정말이지, 누군가가 물어온다면 두 손을 꼭 잡고 그렇게 말해주고 싶다. 나의 블로그에 누군가 댓글로 이런 고민을 올렸을 때, 굳이 그의 아이디를 클릭해 쪽지로 아주 정성스럽게 답변해주는 것이 이런 이유 때문이다.

우리는 또 새로운 곳을 찾아 떠난다

원래 2년 정도의 짧은 해외 생활을 계획했습니다. 신혼일 때 해보고 싶은 것들 다 해보고, 2년 뒤엔 한국에 돌아오자고 약속했었죠. 하지만 인생은 늘 그렇듯이 예상치 못한 방향으로 흘러가고, 저희 부부도 1년 넘게 외국에 있다 보니 어쩐지 이 '방황'을 조금 더 오래 즐기고 싶어졌습니다.

처음 아일랜드에서 꽤 오랫동안 느꼈던 막막함과 유럽의 그 낯섦이 지금은 그리워졌어요. 그래서 말레이시아 생활이 끝나자마자 저희는 다시 유럽으로 가기로 했습니다. 다음에 가는 도시에서는 몇 년 혹은 평생 살게 될 수도 있고, 아니면 또 다른 도시를 찾아 떠날 수도 있을 것 같네요.

"Membership card?"

"No."

세 번째 도시인 말레이시아 페낭에서는 꽤나 자주 가는 마트가 있습니다. 페낭 국제공항에서 가까운 퀸즈베이 몰

Queensbay Mall이라는 거대 쇼핑몰 지하에 있는 이온 몰AEON Mall입니다. 계산할 때마다 멤버십 카드의 유무를 묻는 직원의 말에 왠지 찝찝한 마음이면서도 늘 그랬듯 '없다'는 대답을 합니다.

더블린과 멜버른에서도 멤버십 카드는 없었습니다. 이틀에 한번 꼴로 가던 단골 마트에서는 만들 수도 있었지만, 저희는 왠지 '여기는 길어야 6개월'이라는 생각이 강했어요. 일년 동안 나눠 살았던 세 도시는 정착하고 싶은 곳이라기보단 잠깐 머물 곳이었습니다. 아니, 그랬으면 했던 마음이었어요.

남편과 저녁마다 가는 산책에서 저희 부부는 늘 새로운 곳에 대해 얘기합니다. 매일 지겨울 정도로 얘기하는데도 어쩐지 지루하지는 않습니다. "네덜란드, 오스트리아, 체코……너 어디로 가고 싶어? 나는 말이지……" 살아보고 싶은 유럽의 도시를 얘기할 때면 눈을 반짝반짝 빛내는 남편 때문에 그런 걸까요? 저희가 지금 있는 이곳이 마지막 모험지가 아니었으면 합니다.

"또 다른 데로 가나?" 이젠 놀랍지도 않다는 듯이 말씀하시는 부모님의 질문을 몇 번 더 들으면, 그땐 저희도 아주 지겨울 정도로 멤버십 카드를 내밀게 될 곳을 찾을 수 있지 않을까요? 지금은 말고, 조금 많이 뒤에. 아마 그전까지는 계속 이렇게 살 듯합니다. '우리는 결국 어디서 살게 될까?' 손 꼭 잡고 함께 고민하면서요.

이 책을 읽고 계신 분들은 저희처럼 지금 가지고 있는 것을 내려놓고, 새로운 무언가를 시도하고 싶은 분들일 것 같습니다. 해외에서 몇 년 살아보겠다며 맨땅에 헤딩하듯 나왔지만, 저희는 여전히 해외에서 잘 생존하고 있습니다. 제가 여러분들에게 무언가 해드릴 수 있는 것은 없지만, 이 말씀은 드리고 싶어요.

'인생 몇 회차를 살아본 사람도 모든 삶의 모양을 다 알 수는 없다. 남의 말에 집중하기보단 꼭 나 자신의 마음을 먼저 들여다보자. 도대체 나와 결이 맞는 삶은 무엇인지, 나는 무얼 하면 지금 이 시간들이 아깝지 않다고 느끼는지. 머리를 쥐어뜯으며 생각하고 또 생각해야 한다. 그리고 그건 빠를수록 좋으며, 어렴풋이나마 잡힌다면 작은 것부터 실현가능하게 만들고, 시도해보자.'

저희 부부는 그렇게 찾은 것이 이 '해외 생활'입니다. 여러분들은 무엇을 찾을지 몰라요. 나와 꼭 맞는 퍼즐 같은 일, 퍼즐 같은 삶. 그걸 찾는 과정이 힘들지 않다고는 말 못 하겠지만, 무척 재미는 있을 겁니다! 저는 무조건 여러분의 편입니다.

여러분의 즐거운 방황을 응원합니다!

해외로 도망친 철없는 신혼부부

초판 1쇄 발행   2023년 8월 7일

지은이   이다희
펴낸이   최갑수
디자인   아침
펴낸 곳   얼론북

출판등록   (2022년 2월 22일) 251002022000026
주소   경기도 파주시 회동길 145 아시아출판문화정보센터

전자우편   alonebook0222@gmail.com
전화   010-8775-0536
팩스   031-8057-6703
인스타그램   @alone_around_creative

ISBN 979-11-99837751-2-4